하얗고 검은 어둠 속에서

하얗고 검은 어둠 속에서

조너선 비스

장호연 옮김

PUNG
WOL
DANG

일러두기

- 인명, 지명 등 외국어 표기는 국립국어원의 외래어표기법을 따르되 관용적인 표기와 동떨어진 경우는 널리 쓰이는 표기를 따랐다.
- 음악 작품의 표제는 〈 〉, 음악 작품집에 속한 단일 곡목, 영화와 연극의 제목은 「」, 책, 신문, 잡지 등의 제호는 『 』로 표기했다.
- 원서에서 이텔릭체로 표기한 부분은 굵은 글씨로 강조했다.
- 본문에 •로 표기된 각주는 옮긴이 주이고, 숫자 및 알파벳으로 표기된 원주는 각 챕터 마지막에 미주로 수록했다.

차례

베토벤의 그림자

2007년 4월 24일, 베토벤의 소나타 30번이 나의 넋을 빼놓았다.

녹음 중에 있었던 일이다. 작품 마지막에 등장하는 놀라운 변주곡 악장![a] 베토벤 말년의 작품에는 변주곡이라고 설명할 수밖에 없는 악장들이 많다. 하지만 실제로 그 악장 속에서 벌어지는 음악적 사건들을 생각하면 변주곡이라는 명칭은 그 특징의 일부밖에 설명하지 못한다. 베토벤은 주제의 가능성을 선율, 화성, 리듬적으로 구축하는 데 환상적인 (또는 광적인) 재주가 있지만, 여기서 벌어지는 일은 구축이 아니라 해체다. 30번 소나타 마지막 악장의 종결부에서(피아노 소나타 작품번호 111, 현악 사중주 작품번호 131의 중간 악장, 〈디아벨리 변주곡〉도 마찬가지다) 연주자는 주제가 얼마나 다양하게 표현될 수 있는지를 경험할 뿐 아니라 그 주제가 욕망과 취약함을 가진 살아 있는 존재임을, 그저 끝까지 완주한 정도가 아니라 철저하게 맞붙어 끝장을 본 존재임을, 곧 그 주제가 바로 베토벤 자신임을 알게 된다. 음표가 존재하지 않는 공간, 음표 사이와 그 너머에 존재하는 음악을 베토벤보다 더 많이 작곡한 사람은 없다.

이런 음표 사이의 공간과 그 너머에 **도달하려는 것**은 장대한 도전이다. 특히 녹음 스튜디오에 들어서면 그 도전은 한층 더 거대하게 느껴진다. 스튜디오의 마이크는 거울에 비교될 때가 많다. 흠을 고스란히 드러낼 뿐 아니라 그 스스로는 아무것도 판단하지 않기 때문이다. 마이크는 아무런 반응이 없다. 청중은 연주자에게 겁을 줄 수 있지만, 그래도 그들은 **느낄** 줄 안다. 연주자는 청중이 자신의 연주를 느끼고 있음을 느낀다. 하지만 마이크는 느낌도 의견도 없다. 그저 연주자 자신의 의문을 도로 반사시킬 뿐이다.

그날, 4월의 오후에도 내 수많은 의문이 마이크에 고스란히 포착되었다. 네 번째 변주를 연주하는 중이었다. 내게는 마지막 악장의 이 대목이 진정한 초월적 세계로 접어드는 순간이다. 이 대목 전까지 장대함과 아름다움을 겸비한 주제는 각각의 변주를 통해 점차 속도를 높인 채 거의 명랑하다고 할 정도로 내달리는 중이었다. 네 번째 변주는 이런 흐름을 중단시킬 뿐 아니라, 세 개의 성부가 피아노의 거의 전 음역을 아우르며 서로 얽혀 주제를 일종의 음악적 태피스트리로 변모시킨다. 이어 이 세 개의 성부가 합쳐지면서 이음새도 없고 끝도 없는 하나의 선이 만들어지는데 그때부터 역설이 시작된다. 갑자기 전에 없던 광대한 악상이 모습을 드러내면서도 그에 걸맞지 않은 긴장감이 동시에 흐르는 것이다. 마치 공간을 활짝 열고는 비명을 내지르는 것처럼.

　　그날 오후의 녹음에 앞서 이 악장을 연주했을 때는 이 변주 부분이 꽤나 잘 풀렸다고 생각했다. 손가락이 꼬이기는 했지만 그 부분은 괜찮았다. 살짝 아쉬운 점은 있었지만, 계속하다 보면 자연스럽게 해결되리라 생각했다 (아직은 녹음을 시작하기 전이어서 아쉽고 말고 할 것도 없었다. 녹음 스튜디오라는 또 다른 현실에 적응하고 귀가 편안하게 다시 열리려면 시간이 걸린다). 그러나 막상 녹음을 위해 연주할 때는 아무래도 후세대를 위한 작업이라는 부담 때문인지 팽팽한 긴장감이 비집고 들어오는 경우가 많다. 이런 팽팽한 긴장감의 덕을 보는 음악이 드물게 있지만, "이음새도 없고 끝도 없고…… 광대하다"고 묘사될 수 있는 음악은 그 혜택을 가장 받기 어려운 쪽에 속한다. 잘못되었다기보다는 잘 맞지 않는다는 것이다. 이렇게 녹음 스튜디오에서 나는 점점 이 변주가 지닌 본질적인 특징을 놓치고 있는 것 같았다. 그것을 되찾는다는 것은 그저 뭔가를 '고쳐서' 될 일이 아니었기에 나는 더한 긴장 속으로 빠져들었다.

계속하는 수밖에 없었다. 변주곡을 다시 연주했다. 그리고 또다시 프로듀서는 연주가 괜찮다며 나를 안심시키려 했다. 어쩌면 정말 그랬을 수도 있겠지만, 괜찮다는 말은 이 음악의 이 대목에 갖다 붙이고 싶은 형용사가 결코 아니었다. 나는 내 연주가 내 머릿속에서처럼 생동감을 지니기를, 좀 더 욕심을 부린다면 환각적이기를 원했다. 그렇게 표현하지 못하자 겁이 났다. 아찔하게 만드는 데 실패하자 도리어 아찔해졌다.

나는 다음 변주로 들어가 온 힘을 다해 곡에 몰입했다. 몇 분(5분? 20분? 100분?)이 지났을까. 나는 만족하지 못했다. 이 음악이 이제야 결정적인 연주를 만났다는 확신이 들지 않았다. 하지만 나는 마음을 가라앉히고 베토벤에 관한 핵심적인 진실을 되새겼다. 그의 음악에 평생 헌신하려는 사람은 절대적 이해에 도달하리라는 기대를 내려놓는 순간을 만날 수 있고, 또 마땅히 그래야만 한다는 것이다. 아름답지만 몹시도 못마땅한 진실이다. 그날 오후에 나는 짜릿한 전율을 느끼지는 못했지만, 그래도 편안한 마음가짐으로(이를 악다물지 않고) 계속 나아갈 수 있었다.

이 사건이 떠오른 것은 1년 전 베토벤의 소나타 전곡 녹음을 결정했을 때였다. 그보다 더 위대하고 더 너른 영적 영역을 아우르는 음악은 없다고 확신했던 터라 나는 이 프로젝트에 몰입한다는 생각에 무척 들떴다. 그러나 한편으로는 지금에 와서야 선명해진 어려움들으로 인해 완전히 겁에 질리기도 했다. 소나타 한 곡, 한 부분의 녹음조차 나를 그토록 철저하게 흔들어놓았는데, 서른두 곡을 다 녹음한다면 어떻게 될까?

도대체 나는 왜 스스로를 이런 모험으로 내몰았을까?

* * *

정말 왜일까? 평정심은 예술가에게(혹은 개인에게) 소중한 자산이지만, 얻기 어려울 뿐 아니라 유지하기는 더 어렵다. 연주자는 그 직업적 특성상 다른 사람의 발상에 맞춰 미묘하고도 이례적인 방식으로 스스로를 굽히고 일그러뜨려야 한다. 그렇게 살아가는 게 힘에 부친다는 생각이 들 때가 자주 있다. 그런데도 나는 왜 하필 광선처럼 날카로운 집중력과 전적인 자유분방함을 동시에 요구하는 것으로 '악명 높은' 베토벤의 음악에 뛰어든 것일까? 달리 말해 나는 왜 이런 식으로 나 자신을 광기로 몰아갔을까?

물론 사람을 미치게 만드는 대상**만이** 이런 식의 무모한 몰입을 정당화할 수 있다는 것은 기분 좋은 역설이다. 어떤 연극배우가 「맨발로 공원을Barefoot in the Park」•을 아무리 즐겁게 연기한다 해도 그런 몰입에는 한계가 있다. 그 작품이 예컨대 「리어 왕」과 같은 식으로 배우의 뇌를 자극하지는 않을 것이기 때문이다. 이 비유는 다소 상투적이긴 하지만 예술적 페르소나에 관한 중요한 의미를 담고 있다. 사랑에 빠진 사람은 매혹이라는 감정이 복잡한 과정을 거치지 않고는 일어나지 않으며, 대체로 위험의 요소를 동반한다는 것을 안다. 우리는 자기를 잃어버릴 위험에도 불구하고 사랑에 빠지는 것이 아니라 오히려 그것이 바로 자기를 잃는 길이기 **때문에** 타인과, 아이디어와, 예술 작품과 사랑에 빠진다.[1]

내가 가장 좋아하는 베토벤의 곡 하나를 딱 집어서 말할 수는 없지만, 그의 성격이 전형적으로 드러난 곡으로 현악 사중주 13번(작품번호 130)의 '카바티나' 악장을 능가하는 것은 없다고 생각한다.[b] 애틋한 그리움이 담긴 선

• 닐 사이먼 극본의 1963년 로맨틱 코미디 연극

율이 중단 없이 몇 분 동안 이어지고 나서 음악이 무너지기 시작한다. 그때까지 더없이 솔직한 방식으로 터놓고 표현되던 음악은 이제 단절적으로, 부자연스럽게, 불확실하게 전개된다. 이 놀라운 악절에는 '베클렘트beklemmt'라고 표기되어 있다. '압박당하여(가슴이 답답한)' 정도로 번역되는데, 많은 사람들이 이 독특하고 전례 없는 지시를 '슬픔, 비통함'으로 해석한다. 하지만 내가 이 음악에서 듣는 압박은 비통함이 아니라 감정이 고양된 상태(연약함이 감당할 수 없을 정도의 상태)에서 일어나는 숨가쁨이다.

바로 이것이 내가 베토벤의 피아노 소나타 전곡을 녹음하기로 한 이유다. 이 음악이 내게 가할 난관과 그 난관에 대처하지 못할 나 자신을 그렇게 걱정했으면서도 말이다. 그의 음악이 나를 숨 멎게 했던 것이다. 베토벤은 너무도 빈번하게, 그리고 어떤 다른 음악적 경험이나 삶의 경험도 흉내 내지 못하는 방식으로 나를 숨 멎게 한다. 그는 **서로 다른** 다양한 감정 상태를 고양시켜 듣는 이의 숨을 멎추게 할 수 있다. 〈함머클라비어〉 소나타의 느린 악장이 선보이는 절망감, 소나타 작품번호 90의 2악장이 지닌 혈기왕성함, 〈열정〉 소나타의 격정, 피아노 협주곡 G장조를 비롯해 그가 작곡한 거의 대부분의 곡에 스며든 순전한 초월성이 그 예다. 자기 자신을 잃어버리기 위한 방법

중에 이런 경이에 몰입하는 것보다 더 나은 방법을 나는
알지 못한다. 내게는 선택의 여지가 없다.

* * *

내가 처음으로 베토벤의 소나타를 여러 곡 묶어서 경
험한 것은 열세 살 때로, 레온 플라이셔Leon Fleisher 앞에서
연주하려고 볼티모어의 피바디 음악원을 찾아갔을 때였
다(그는 몇 년 뒤에 내 스승이 되어 내 삶에 가장 큰 영향
을 미쳤다). 공교롭게도 바로 그 주에 그의 학생들이 돌
아가며 이른 아침부터 자정 너머까지 베토벤의 소나타 전
곡을 릴레이로 연주했다. 나는 작품번호 31의 소나타들
(16번, 17번, 18번)이 연주될 때 도착했고, 짧은 저녁 휴식
시간을 제외하면 끝까지 자리를 지켰다. 그 경험은 뼛속까
지 강렬한 인상을 남겼다.

그때 나는 테스트를 치러야 하는 학생의 의무감 때문
에 악보를 가지고 있었다.[2] 지금도 그 악보의 특정한 대목
들을 보면 소소한 기억들(내게 거인 같았던 〈함머클라비
어〉 소나타를 연주하기 전에 연주자가 겸손하게 인사하던
모습, 작품번호 111의 2악장에서 E플랫장조로 천상의 조
바꿈이 이루어질 때 내가 다리를 꼬고 앉았던 것)과 더불
어 거기에 동반된 감각들(〈함머클라비어〉 연주에서 내가

듣고 있는 소리를 따라가느라 머릿속에서 실제로 물리적 고통을 느꼈던 것, 작품번호 111이 연주되던 순간이 너무도 아름다워서 숨을 쉬지 못했던 것)이 떠오른다. 음악에 대한 굳건한 사랑과 평생 음악을 하겠다는 야망을 가진 열세 살 아이라면 자기가 최소한 베토벤 음악의 기초쯤은 알고 있다고 생각했으리라. 하지만 그날 밤, 나는 피바디를 나오면서 난생처음으로 내가 그렇게도 푹 빠져 있었던 이 음악을 도저히 모르겠다고 생각했다.

그런 느낌은 다음 날 피바디 건물 4층에 있는 플라이셔의 스튜디오에서 더 짙어졌다. 아니, 심지어 나 스스로 그런 느낌을 부추기고 있었다. 그의 수업을 받은 직후에는 수업 중에 열린 태도로 수없이 새롭게 시도해본 것들을 다시 탐구해야겠다고 생각했지만, 17년이 지난 (그리고 그이후 수많은 수업들을 하고 난) 지금 플라이셔가 그날 말했던 것은 딱 두 가지만 생각난다. 나는 그의 앞에서 소나타 3번(작품번호 2-3)을 연주했다. '영성'은 베토벤이 말년에 이르러서야 제대로 관심을 보인 주제라는 주장을 반박하는 초창기 작품 가운데 하나다.[3c] 수업 중에 나는 플라이셔가 요청한 대목을 연주하고 나서 엄청 까다로운 부분이라고 말했다. 지나가면서 툭 던진 말이었지만, 플라이셔의 대답은 진지했다. "맞아. 덕망 높은 우리 스승님은 이런 말씀을 하셨지. 위대한 작품의 어떤 연주도 작품 자체의 위대함에는 못 미친다, 상상 속에서는 곡이 항상 더 완벽하다, 라고." 그 이후로 나는 이 말을 명예훈장처럼 마음속에 달고 다녔고, 힘들 때마다 되새기며 위안을 얻었다. 이 말은 베토벤의 음악을 연주할 때마다 내가 마음속에 새기는 철학의 기초가 되었다. 한참 시간이 흘러 4월의 어느 오후에 30번 소나타(작품번호 109)를 녹음했을 때처럼, 힘겨움이 나를 압도할 듯한 순간이 오면 꼭 필요한 말이다.

그날 수업에서 기억나는 또 한 순간은 같은 소나타의 2악장 중에 있었다. 베토벤이 시간을 멈추는 실험을 처음으로 시도한 악장이다. 그래서 여기서는 침묵과 여백이 소리만큼이나 중요하다. 어마어마한 인내심과 말도 안 되는 수준의 내적 평온함을 요구하는 이런 음악은 열세 살 아이에게는 자연스럽게 다가오지 않는다. 지혜롭고 명민한 플라이셔는 나에게서 원하는 효과를 끌어내기 위해 적절한 말을 찾고 있었다. 그러다 갑자기 평소에 안광을 내뿜던 그의 눈이 멍해지면서 중간쯤 되는 거리를 바라보았다. "이 음악은 여기 있는 걸 말하는 게 아니야. 저쪽에 있는 거지." 무슨 말인지 이해할 수 없었던 나는 그의 시선을 따라 스튜디오의 벽을 바라보았다. 거의 벽 전체에 은하수 포스터들이 붙어 있었다. "대부분의 작곡가들은 감각적인 것, 촉각적인 것에 관심을 두지. 우리가 보고 느끼고 만질 수 있는 것 말이야. 하지만 그는 우리의 지각 너머에 있는 것에 관심이 있어. 바로 저기, 은하수, 무한. **그게** 베토벤이야."

* * *

플라이셔가 '덕망 높은 스승'이라고 했을 때, 나는 따로 물어보지 않고도 그게 누구인지 알았다. 20세기의 피아니스트 중에서 아르투르 슈나벨Artur Schnabel보다 더 높이 추앙받는 사람은 거의 없다. 나는 슈나벨이 모차르트, 베토벤, 슈베르트 음악의 열렬한 옹호자이자(당시에는 대중의 취향이 보다 낭만적이고 화려한 음악에 맞춰져 있어서 이런 고전적 대가들을 옹호할 연주자가 필요했다) 그 시대의 가장 영향력 있는 교육자 가운데 한 명으로 명성이 자자했다는 것을 알고 있었다. 슈나벨은 베토벤의 소나타 전곡을 최초로 녹음한 사람이었다. 흥미롭게도 세월이 흐르고 많은 녹음들이 쏟아져 나왔지만 그의 베토벤 연주는 여전히 그 힘과 마술적 매력을 잃지 않았다. 하지만 당시 나는 아직 그의 모차르트 연주만을 알고 있었다. 슈나벨이 연주한 32번(작품번호 111)이나 26번 〈고별〉 소나타를 내가 미리 들어봤다면, 피바디에서 있었던 릴레이 연주회가 그토록 충격적이지는 않았을지도 모른다. 플라이셔의 제자들은 슈나벨이 레셰티츠키에게서 배웠고, 레셰티츠키는 체르니와 함께 공부했고, 체르니는 베토벤의 제자였음을 인식하고 있었다. 그들은 이런 계보가 플라이셔를 거쳐 자신들에게까지 이어지는 일종의 유산이라고 보았다. 역사적으로는 맞는 말이지만, 그런 결론은 사실 말도 안 되는 소리다. 유럽이나 북미에서 훈련받은 피아니스트라면 거의 누구나 자신과 베토벤을 연결하는 '계보'를 주장할 수 있다.

베토벤과 자신을 연결하려는 신기한 계보 만들기는 공상으로 치부하면 그만이지만, 플라이셔가 슈나벨과 연결돼 있다는 점만큼은 그와 함께한 모든 수업에서 확연히 드러났다. 첫 수업 때부터 알 수 있었다. 슈나벨의 이름을 언급하는 플라이셔의 어조에는 경외심이 묻어났고, 그가 수업 때 가르치는 내용들 역시 슈나벨이 그에게 끼친 영향과 연관돼 있었다. 슈나벨은 보아하니 산을 무척 좋아했던 것 같았다. 플라이셔는 수업에서 이를 자주 환기시켰다. "모차르트는 정원, 슈베르트는 햇빛과 그림자가 비치는 숲이라면, 베토벤은 거대한 산맥이지(이 세 작곡가의 음악을 이야기하면서 슈나벨은 이런 말도 했다고 한다. "어느 높이에 도달했든 간에 정상은 계속해서 더 높아지는 것처럼 보여." 내가 열세 살 때 플라이셔를 통해 전해들은 격언 가운데 가장 시적인 표현이다).**4** 플라이셔가 즐겨 인용한 이 비유는 다소 거창한 감이 있었지만, 아무튼 베토벤의 음악이 최고의 경지에 올라 있어서 우리가 볼 수 있는 세상 너머를 다룰 수 있었다는 그의 생각만큼은 의문의 여지없이 전달되었다.

특히 슈나벨의 교습에 대한 기록과 그가 남긴 녹음을 들어보면 플라이셔의 다른 많은 확고한 신념들 역시 슈나벨과 함께한 세월에 뿌리를 두고 있음을 짐작할 수 있다. 피아노 연주를 통해 (피아노 건반과 해머를 숙명적으로 맞닥뜨리게 하는) 중력을 거스르고 싶은, 다시 말해 소리가 툭 떨어지지 않고 위로 솟아 흘렀으면 좋겠다는 소망, 어떤 연주가 지니는 성격과 느낌은 그저 '자기표현'의 욕망이 아니라 곡에 대한 이해에서 도출되어야 한다는 생각, 리듬의 탄력성에 대한 집착에 가까운 철저함, 리듬이 모든 음악의 바탕이며 음악에 '생명력을 부여한다'는 믿음 등이 바로 그것이다. 나는 슈나벨의 메시지가 여러 세대를 거치면서 어떻게 바뀌었는지 말할 수 있는 입장은 아니지만, 어떤 신비한 원리에 의해 내가 그의 정신ethos,곧 윤리적 지향을 접했다는 확신은 피할 수 없다.

그 정신은 정확히 어떤 것일까? 내가 슈나벨에 대해

아는 모든 것, 무엇보다 그의 경이로운 연주는 줄곧 한 지점을 가리킨다. 그가 역설로 무장한 사람이라는 것이다. 슈나벨은 자신에게 경외감을 불러일으키는 음악만 연주했지만, 그 연주가 들려주는 소리는 경외감이 아니라 명백하고 막강한 애정으로, 위트와 기쁨으로 가득했다. 뛰어난 지성의 소유자였던 그는 자신이 연주하는 음악을 예리하게 파악했지만, 그러면서도 음악가와 작품의 관계는 머리가 아닌 가슴에 기초해야 한다고 확언했다. 그는 『나의 삶과 음악My Life and Music』이라는 책에서 이렇게 말했다. "사랑, 음악에 대한 사랑이 출발점이 돼야 한다. 사랑은 항상 지식으로 이어지지만, 지식이 사랑과 비슷한 것을 만드는 경우는 극히 드물다. 이것은 나의 확고한 신념이다."[5] 슈나벨은 계속해서 말한다. 자신은 그저 아름답기만 한 음악이 아니라 풍부한 의미와 넓은 범위 — 또다시 산이 등장한다 — 를 가진 음악에 관심이 있다고. 하지만 그러면서도 그는 이런 음악에 피아노로 빚어낼 수 있는 가장 아름다운 소리를 부여했다.

어쩌면 이처럼 이분법의 양쪽을 다 체득한 예술가는 살아생전에는 하나의 예술 원칙을 구현한 것으로만 여겨지다가, 죽고 나서는 또 그와 정반대의 원칙을 구현했다고 오해받는 것이 당연한지도 모른다. 전성기에 슈나벨이 언론 매체와 동료들로부터 비판을 받았던 가장 큰 이유는 바로 '메말랐다dry'는 점이었다. 다소 폭이 좁은 레퍼토리, 그의 숭배자들조차 질긴 고기 같다고 말할 정도로 단단했던 그의 음색, 악보에 절대적으로 충실해야 한다는 그의 고집이 그런 평가의 이유로 꼽혔다.[6] 이런 비판이 하도 자주 제기되자 슈나벨은 이를 그냥 웃어넘기기도 했다. 그는 자신과 다른 피아니스트의 리사이틀에는 중요한 차이가 있다고 말했다. 동료들의 프로그램은 무거운 음악에서 가벼운 음악으로 진행하는 데 반해, 자신은 중간 휴식시간의 앞과 뒤가 모두 똑같이 지루한 음악으로 꾸려졌다는 것이었다.

오늘날 슈나벨의 연주에 친숙한 대부분의 사람은 그의 연주가 메말랐다고 말하지 않는다. 앞서 언급했듯이 그가 그토록 높이 추앙받는 데는 예술적인 영성이 기여했고, 4분밖에 수록할 수 없는 옛 레코드 녹음에서 그가 기적적으로 만들어낸 황홀경의 감각도 자주 언급된다. 이제는 예전과는 전혀 다른 단어가 슈나벨을 비판하는 말에 따라붙는다. 바로 '질척하다sloppy'는 것이다.

슈나벨은 위대한 예술가이면서 의심할 나위 없이 위대한 피아니스트였다. 천둥 같은 소리를 낼 줄 알았던 그는 더욱 인상적인 소리, 즉 거의 무게감이 느껴지지 않는 소리도 낼 수 있었다. 그가 뽑아낸 선율은 너무도 매끈해서 피아노라는 악기의 명백한 한계를 잊게 만들 정도였다. 피아노는 일단 소리가 울리고 나면 그 소리를 통제하기가 사실상 불가능한 유일한 악기이지만, 피아노 독주곡을 연주하는 슈나벨은 매번 이런 한계를 넘어섰다. 그가 남긴 음반을 들으면 그가 천부적인 재능을 타고난 연주자임을 보여주는 대목을 끝없이 발견할 수 있다. 까다로운 악절을 아무것도 아닌 듯 툭 던지고, 엄청나게 투박한 작법으로 쓰인 대목을 너무도 감미롭게 소리 낸다. 만약 그 시대에 디지털 보정이 존재했더라도 슈나벨은 그 기술에 전혀 관심을 두지 않았을 것이다. 그가 연주한 베토벤 소나타에는 아주 커다란 붓으로 한 번에 쓰윽 칠한 것처럼 길게 이어지는 대목들이 있다. 그 표현 의도는 확실하게 알아볼 수 있지만, 각각의 음은 흐릿하게 뭉쳐져서 세세한 사항을 판별하기 어려울 때가 자주 있다. 슈나벨은 각각의 음을 더 큰 악상에 녹여서 통합하는 방식으로만 연주했기 때문이다.

나는 다른 위대한 음악가들이 슈나벨의 이런 특성을 무책임한 태도로 여기는 것을 들은 적이 있다. 그처럼 독특한 재능을 지닌 음악가가 거시적 수준에서는 위대한 작품에 어울리는 해석을 해낸 반면, 세세한 연주에 있어서는 그만큼 주의를 기울이지 않은 것은 자기만족의 징표이자 심지어는 살짝 오만한 태도라고 했다. 그 의견을 전부 부인할 수는 없지만, 나는 슈나벨의 베토벤 소나타 해석이 지닌 형언할 수 없는 본질 — 산과 은하수와의 대화 — 을 조금 더 정확하게 내리친 음들과 바꾸고 싶다고는 한순간도 생각해본 적이 없다. 슈나벨도 틀림없이 그랬을 것이다. 그는 어떤 악절을 다시 한 번만 녹음해보자는 프로듀서의 (어쩌면 조금 필사적이었을) 제안을 뿌리치면서 이런 유명한 말을 남겼다. "더 나아질 수는 있겠지만 이만큼 좋은 연주는 아닐 거요."

음반에 기록된 연주 자체는 바뀌지 않는다. 그렇다면 무엇이 달라진 것일까? 슈나벨의 베토벤은 어떻게 겨우 두 세대 만에 완전히 다른 평가를 받게 된 것일까? 여기에 대해서는 어떤 대답도 추측에 불과할 것이다. 그러나 현재 우리 시대의 음악 문화가 무엇을 우선시하는지 알 수 있다는 점에서는 이러한 추측에도 가치가 있다. 슈나벨이 런던 애비 로드에서 베토벤을 녹음한 1930년대에, 음반 분야는 여전히 태동 중에 있었다. 사실 그는 전에도 녹음 제안을 전부 거절한 바 있었다. 아직 기술이 원시적이라는 이유에서였다. 슈나벨의 연주를 실황으로 들었던 사람들은 녹음된 버전 — 우리에게야 천상의 소리로 들리지만 —

이 그의 소리를 제대로 담아내지 못했다고 말한다. 하지만 그때 마이크가 포착한 소리는 그보다 몇 년 전에 가능했던 것에 비하면 분명 향상된 수준이었을 것이다.

오늘날 녹음된 음악은 세계 어디에나 존재하므로, 불과 80년 전만 하더라도 고전음악은 거의 전적으로 콘서트홀에서 (혹은 거실에서 아마추어들의 연주로) 들었다는 사실을 잊기 쉽다. 이 같은 변화는 대단히 많은 의미를 담고 있다. 당시 음반을 구매한 대중은 실황 연주와 다른, 음반만의 독특한 매력을 기대하지 않았다. 실황 연주는 그 순간의 독특한 개성과 불완전함을 포함하기 마련이며, 이것이 실황 연주의 매력이 되기도 한다. 음반이라고 해서 왜 이와 똑같은 매력을 가지면 안 된다는 것인가?

그러나 음반이 음악 소비에서 차지하는 비중이 갈수록 커지면서 우리가 음반과 맺는 관계도 달라지기 시작했다. 2003년에 내 첫 CD를 편집하려고 애비 로드를 처음으로 방문했을 때(녹음은 다른 곳에서 했다), 나는 프로듀서에게 편집 작업 과정 — 그리고 우려스럽게도 그 결과 나오게 될 음반 — 이 수술처럼 느껴진다며 불편한 기색을 드러냈다. 그때 그는 이렇게 대답했다. "무슨 말인지 알아요. 당신 말이 옳을 수도 있겠죠. 하지만 솔직히 말하자면, 나는 음악회에서는 잘못된 음을 들어도 아무런 상관이 없지만, 내가 구입한 CD를 재생할 때마다 **똑같은** 잘못된 음을 듣게 되는 건 원치 않습니다." 반박하기 어려운 논리였다. 그저 우리가 던질 수 있는 유일한 질문은, 녹음 과정이 발전하면서 얼마나 많은 것을 얻었고 또 얼마나 많은 것을 잃었는가 하는 것이다. 음반 산업이 성장하면서 본래 콘서트 세계의 부속물이었던 음반은 점차 독립적인 의미를 가지게 되었고, 청중들도 음악회에 가는 행위와 오디오를 재생하는 행위 사이에 대단히 실질적이고 중대한 차이가 있음을 인식했다. 그러면서 이 둘을 구별되는 청취 유형으로 각각 발달시켜 나갔다.

이렇게 녹음을 대하는 태도가 바뀌면서 기술은 점점이 변화를 수용하는 쪽으로 나아갔다. 슈나벨이 오늘날 연주가 어느 정도까지 디지털적으로 조작될 수 있는지 알았다면 틀림없이 충격을 받았을 것이다. 음높이는 노브 하나만 돌리면 바꿀 수 있고, (음의 전체적인 성격을 좌우하는) 음의 잔향 길이를 바꾸는 것은 일도 아니다. 소리를 이어 붙이는 기술은 얼마나 정교한지, 한 악절이나 마디씩만 따로 녹음해도 하나로 연결할 수 있을 정도다. 녹음할 때 해석의 문제를 해결하기 위해 동원되는 각종 최신 기술들은 더 놀랍다. 오케스트라 소리의 불균형을 해결하고자 마이크의 위치를 옮기는 것은 그나마 나은 경우다.

나는 내 CD의 초기 편집본을 듣고 나서 어떤 악절은 처음 등장할 때보다 다시 반복될 때 소리가 더 좋아져야 하는 거라고(즉, 악보로 보면 같은 음표들이지만 서로 다른 소리가 나야 한다고) 프로듀서에게 여러 차례 항의해야만 했다. 그렇게 폭력에 가까운 으름장을 놓고서야 그들이 첫 악절의 연주를 따다가 나머지 반복구에 똑같이 복사해 붙임으로써 훼손할 뻔한 작품의 서사적 효과와 다채로운 표현을 지켜낼 수 있었다.

여기서 우리의 논의는 원점으로 돌아온다. 음반 역사의 초기에는 녹음이 실황 연주의 경험을 그저 똑같이 재현하고자 했지만, 이제 잘라 붙이는 공정을 통해 불완전함이 제거된 녹음을 수십 년 이상 접해 온 우리는 **음악회**를 듣는 방식에서도 크나큰 변화를 겪었다. 스튜디오 녹음들은 대단히 인공적인 환경에서 제작되었음에도 불구하고 연주회에서 청중들이 기대하는 바를 몰라보게 바꿔 놓았다. 이제 '실수가 없는fehlerfrei 상태'는 촉망받는 피아니스트라면 당연히 갖춰야 할 전제조건으로 여겨진다(그리고 가끔은 연주의 출발점이 아니라 목표 자체가 되어버렸다는 생각도 든다). 『뉴욕타임스』의 고전음악 수석 평론가인 앤서니 토마시니는 얼마 전 알프레드 코르토 — 레퍼토리는 완전히 다르지만 자유로움과 인간미가 느껴지는 연주 스타일은 슈나벨과 많이 닮아 있다 — 가 오늘날이라면 줄리아드 음대에 입학하지 못할 수도 있다는 글을 썼다.[7] 그는 그런 비극이 줄리아드의 손실이라는 말까지는 하지 않았다.

슈나벨은 이런 발전 혹은 변화에 대해 한마디 하기 전에, 혹은 자신의 평판이 이토록 극적으로 달라지는 모습을 보기 전에 세상을 떠났다. 하지만 위트가 넘쳤던 그는 독일어로 페어플라퉁Verplattung이라는 한 단어가 '디스크 제작'으로도, '납작하게 만들다'로도 번역될 수 있음을 이미 지적한 바 있었다(곧, 디스크 제작은 음악을 납작하게 눌러 찍어내는 것일지도 모른다). 따라서 그가 죽고 나서 수십 년이 지난 지금, 음악 연주에서 우선시하는 사항이 바뀐 것을 그가 본다면 어떻게 느낄지 짐작하기란 어렵지 않다.

* * *

내가 자란 1980년대와 1990년대는 음반 제작 수량으로 보나 판매량으로 보나 가히 음반의 시대라 부를 만했다. 당시 새로 발매되는 녹음들을 잇달아 들으면서 완벽에 가까운 기교들을 접한 나는 거기에 무심해질 수가 없었다. 한편으로는 당시의 신보들과는 완전히 다른 과거의 연주를 접하면서 음악에 푹 빠졌던 기억도 있다. 슈나벨, 코르토, 루빈스타인뿐만 아니라 현악기를 연주한 우리 부모님이 경외했던 음악가들, 즉 메뉴인, 스턴, 카살스, 시게티, 프림로즈, 킹골드, 부다페스트 사중주단도 있었다. 이렇게 서로 다른 (그리고 서로 경쟁관계에 있는 것처럼 느껴지는) 두 가치 체계 사이의 긴장은 그때부터 줄곧 내 안에 남아 있다.

플라이셔는 위대한 작품이란 필연적으로 "상상 속에서 더 완벽하다"는 슈나벨의 말을 곧잘 인용했는데, 나는 그 인용이 얼마나 정확한 것인지는 모른다. 하지만 내가 지금 인용한 **플라이셔의** 말은 정확히 그가 말한 대로다. 왜냐하면 모순된 의미를 담고 있는 "더 완벽하다"는 표현 자체가 곧바로 내게 충격을 주었고, 지금까지도 내게 점점 더 중요하게 와닿기 때문이다. 나는 연주가 얼마나 완벽해야 하는가라는 질문을 갖고 있었지만, 동시에 그보다 더 근본적인 질문과도 씨름해 왔다. 음악의 맥락에서 '완벽'이란 대체 어떤 의미인가 하는 질문이었다. 완벽이란 부정적으로 정의되는 경향이 있는 단어다. 우리는 '불완전'하다는 것이 어떤 것인지는 (적어도 귀로 들어보면) 안다. 그렇다면 완벽은 불완전함이 없는 상태일까? 완벽은 존재보다 부재로 확인되며, 나는 그 점이 불편하다. 확실히 부실해 보이는 불완전함이 있다. 하지만 보다 더 음악적인 결과로 이어지는 불완전함도 있다. 경험적으로 보면 **무엇**을 하고자 하는 음악가들은 ― 아무리 잘못된 생각이어도, 결국에는 완전히 포기하게 되더라도 ― 그저 어떤 시도를 (완전하지 않다는 이유로) **피하려는** 음악가들보다 더 멀리까지 나아간다. 나쁜 발상도 결국에는 좋은 시도로 이어질 수 있지만, 아무것도 하지 않으면 아무것도 없다. 따라서 나는 음악가들이 완벽이라는 말을 겸허하게 (혹은 담대하게) 사용하는 것을 들으면 마음 한구석이 불편해진다. 나 역시 완벽을 추구하기 위해 필요한 규율과 집중력을 존중하고, 그런 덕목을 기르려고 기꺼이 노력하고 있음에도 여전히 불편한 마음이 든다.

내가 느끼는 이 같은 '불편함'은 크게 두 가지 본질적인 요소로 되어 있다. 하나는 '완벽'이라는 개념이 고정된 무엇을 나타내는 것처럼 보인다는 점이다. 이 같은 고정된 관념은 예술 작품을 미리 정해진 것으로 상정하며, 따라서 음악이 지닌 객관적인 측면을 위주로 접근하도록 유도한다(혹은 사실은 주관적인 요소들, 즉 궁극적으로 그 곡이 지닌 흥미로운 요소들을 객관적인 것으로 오해하도록 만든다). 어떤 소리를 내서 그 음악 작품이 품고 있는 완벽한 형태를 구현할 수 있다고 믿는 것은 자신이 그 음악의 모든 것을 다 안다고 믿는 것이다. 그런 믿음은 시야를 대단히 편협하게 만든다. 아마도 이 점이 슈나벨/플라이셔의 표현이 내게 그토록 와닿은 이유일 것이다. 연주자 혹은 해석자가 '더 완벽한' 무엇을 끝없이 찾아 나선다는 생각은 비록 고되지만 가치가 있는 과정이다. 그러한 탐색의 과정이 유한한 목표를 추구하는 행위가 아님을 뜻하기 때문이다. 우리가 목표를 향해 다가가면 목표물 역시 움직인다. 우리가 찾는 것이 목전에 있는 듯 보일 때, 우리는 그간 내내 찾아왔던 눈앞의 목표 너머에 더 많은 것들이 있음을 깨닫게 된다. 슈나벨의 말을 다시 인용하자면 "삶에서 가장 큰 깨우침을 얻는 순간은 수평선에 가까이 다가갔을 때 시야가 무한을 향해 열리는 순간과 같다."[8] 우리는 더 많이 알게 될수록(더 '완벽'해질수록) 자신이 더 많은 것을 모르고 있음을 깨닫게 된다.

지금까지는 내가 어느 정도 자신감(확신까지는 아니더라도)을 갖고 한 말이다. 여러 가치들 가운데 어느 하나를 포기하지 않고 서로 균형을 맞추는 것과 관련된 이야기였다. 이제부터는 그렇게 분명하지 않다. 나의 '불편함'을 이루는 두 번째 요소는 음악에서 완벽을 추구하는 태도가 완벽이라는 본질과는 그다지 관계가 없을 뿐만 아니라 호기심, 사랑, 유머, 상상력, 열린 마음까지 망쳐 버린다는 느낌이다. 금방 열거한 여러 가치들은 내가 내 연주에서 기르려고 가장 애쓰는 것이자 다른 사람의 연주에서 가장 듣고 싶어 하는 것이다. 그 다양한 감정과 마음은 내가 어떤 음악을 선택할지 이끌어주고 그 음악을 더욱 **음악**답게 만든다.

내가 각별히 아끼는 음반이 있다. 프랑스 프라드에서 열린 카살스 페스티벌에서 호르쇼프스키, 시게티, 폰 토벨이 연주한 슈만의 피아노 삼중주 d단조의 실황 녹음이다.[d] 슈만이 "흐릿한 빛" 속에서 작곡했다고 말한 3악장은 피아노 반주 위에 선 바이올린이 쓸쓸하게 돌아보는 듯 연주하면서 시작한다. 절제되면서도 가슴을 미어지게 하는 슈만 특유의 시적인 방식이다. 이 연주를 할 당시 예순네 살이었던 시게티는 관절염을 앓고 있었고 건강상태가 좋지 않았다. 사실 그의 비브라토는 전성기 때조차 불안정하게 떨리는 편이었지만, 이 실황에서는 그 정도가 더욱 심하다. 사람들은 나이든 대가의 연주를 설명할 때 별일 아니라는 듯 혹은 거들먹거리며 "여기저기서 약간의 실수가 있었지만 통찰력 있는 연주에 방해가 될 정도는 아니었다"라는 식의 말을 자주 한다. 하지만 이 실황은 전혀 다른 느낌을 안겨준다. 오히려 연주의 허약함, 연주자가 생명을 쥐어짜면서 음 하나하나를 연주한다는 느낌이 이 연주를 그토록 빛나게 만든다. 어떤 현악 연주자도 시게티의 이 연주를 이상적으로 빚어낸 소리라고 여기지는 않겠지만, 나는 더 건강한 바이올리니스트가 보다 완벽한 기교와 매끈한 소리로 그와 같은 **느낌**을 만들어내는 모습을 상상할 수 없다. 누군가가 대단히 고통스러운 뭔가를 말하려고 하는데 단어가 목에 걸려 나오지 않는 장면을 상상해보라.

그러나 공정하게 말하자면 이는 아주 특별한 사례다. 결점이라고 불려야 옳은 특징이 대단히 특수한 음악적 효과와 이상적으로 맞아떨어진 것이다. 실수하지 않는 것에 집착하지 않을 때 연주가 어떤 수준까지 올라갈 수 있는지 보여주는 보다 일반적인 사례로, 나는 슈나벨의 베토벤으로 돌아가고 싶다. 거기에는 앞서 내가 열거한, 매력적인 연주가 지닌 본질적인 특징들이 무한정 풍부하게 들어 있다.

무엇보다도 사랑이 있다. 사랑의 경우에는 슈나벨이 연주한 어떤 소나타도 예로 들 수 있다. 오래전에 내가 플라이셔 앞에서 연주했던 바로 그 곡, 소나타 3번을 보자.ᶜ 느린 악장은 중간중간에 쉼표가 들어가는 매우 긴 악구로 시작한다. 이 쉼표들 사이의 구간, 즉 악구 안의 악구들은 하나하나가 호기심에 찬 표정을 하고 있다. 총 열 마디로 이루어진 이 부분은 무려 열한 번의 중단을 거치고서야 해결에 이른다. 슈나벨은 이 도입부에서 인상적일 만큼 기다란 구조와 몽상적인 특징 외에 다른 것도 발견했다. 연약함이었다. 부모가 어린아이를 안고 흔들며 재우려고 하는 장면을 머릿속에 그려보면 슈나벨이 여기서 채택한 '목소리'를 상상할 수 있다(내가 베토벤을 가리켜 '초월적이면서도 인간적'이라고 할 때 마음속에 떠올리는 음악이 바로 이런 것이다).

유머는 어떨까? 소나타 16번(작품번호 31-1)이 있다. 피아니스트의 오른손이 계속해서 박자를 살짝 앞서가면서 불운하게도(?) 왼손과 엇갈린다. 슈나벨은 이런 제스처에서 익살스러운 일종의 슬랩스틱을 찾아내고, 아울러 이 엇나감이 계속 반복되면서 양손이 제대로 보조를 맞추지 못하자 베토벤이 화를 내는(혹은 그런 척하는) 듯한 유쾌한 웃음마저 연출한다(베토벤은 악상을 강박적으로 복잡하게 발전시키는 쪽을 선호하지만, 한편으로는 다른 어떤 작곡가보다도 단순한 반복을 효과적으로 자주 사용했다). 더욱 훌륭한 대목도 있다. 양손이 마침내 합쳐지자 건반을 미친 듯 헤집고 다니는 슈나벨은 개가 자기 꼬리를 쫓는 듯한 모습을 선사한다.

호기심과 상상력은 슈나벨의 베토벤 연주에서 늘 발견할 수 있는 덕목이다. 모든 곡의 모든 악장, 모든 악구에 여러 가지 형식으로 배어 있다. 예컨대 그는 반복구를 처리할 때마다 변화를 주는데, 어쩌면 그가 (겉으로는 똑같아 보이는) 각각의 반복구가 지닌 고유한 특징을 찾아간다고 평하는 쪽이 옳을지도 모른다. 또한 슈나벨은 조용한 순간에서 경이감을 끌어낼 수도 있었다. 다른 어느 피아니스트가 〈발트슈타인〉 소나타 도입부에 그토록 강렬한 기대감과 역동성을 눌러 담을 수 있었던가? 또 특정한 악구를 구축할 때 열린 결말로 처리하는 방식도 있다. 3번 같은 초기작이든 28번(작품번호 101) 같은 후기작이든, 슈나벨의 연주는 다른 어떤 작곡가도 베토벤만큼 음‍ᄑ으로 많은 질문을 던진 바가 없었음을 상기시킨다.

마지막으로, 열린 마음은 어떨까? 슈나벨의 예술성에 내재한 '열린' 측면을 가장 잘 보여주는 대목은 30번 소나타의 마지막 악장 네 번째 변주다.[a] 내가 녹음할 때 너무도 힘들어했던 바로 그 부분이다. 내가 특별히 경외심을 느끼는 슈나벨의 특성은 바로 너그러움이다. 비록 녹음하기 몇 달 전부터 나는 듣지 않고 거리를 두긴 했지만, 나자신도 그렇게 표현할 수 있기를 바랐다. 물론 음악은 사적이고 신비로우며 불가해한 것이지만(그리고 슈나벨은 확실히 이런 특징들을 다 드러내지만), 슈나벨은 그런 공유할 수 없는 것들조차 함께 공유하고자 하는 열망을 들려준다. 그것은 곧 자신이 느끼는 바를 청자도 함께 느끼도록 하려는 열망이다. 슈나벨의 연주가 보여주는 품 arc — **그의 음악적 비전**이 지닌 품 — 은 실로 거대하다. 그 안에서 우주를 탐험할 수 있을 만큼, 그 안에 우리 모두가 초대받을 수 있을 만큼 넓다.

물론 이러한 이야기는 모두 음악의 거시적인 면들에 관한 것이다. 미시적인 면으로 시각을 돌리면 수많은 지적 사항들이 눈에 들어온다. 어떤 변주 중간에는 잘못된 음이 나오고, 그 직후에는 제대로 목소리를 내지 않는 음이 두 개 있다. 그런데 나는 슈나벨의 음반을 들으면서 이런 점들을 거의 눈치채지 못했다. 실수를 발견하는 데 초점을 맞추어야 한다고 마음을 먹기 전까지는 말이다. 그러나 요즘 같은 세상에서 30년을 살다 보니 — 즉 현대에 나온 음반들을 듣고, 동료들과 음악 및 음악회에 대해 이야기하고, 내가 녹음한 것을 프로듀서와 함께 다시 듣다 보니 — 내 연주에서도 이런 부분들을 과도하게 의식하게 되었다. 나는 이런 두 가지의 서로 다른 청취 양식이 일종의 제로섬 게임이라는 생각을 지울 수 없다.

예를 하나 들어보자. 나는 올해 5월에 베토벤 소나타 전집의 첫 음반을 녹음했다. 여기 들어가는 작품번호 22의 오페라풍의 느린 악장을 세 번째인가 네 번째로 연주했을 때[e] 프로듀서와 나는 이제 우리가 원하는 것을 얻었다고 생각했다. 우리는 그 연주가 이 곡의 본질적인 특징으로 보이는 '그라치오소(우아하게)'와 '아마빌레(사랑스럽게)'를 모두 갖춘 연주, 앞선 연주들보다 '더 완벽한' 연주라는 데 동의했다. 하지만 아쉽게도 마지막 종지에서 페달이 요란하게 삐거덕거려 말 그대로 평화를 깨뜨리는 소음을 냈다. 그래서 나는 악장의 마지막 부분만 다시 연주하면서 내 마음에 들었던 앞선 연주의 측면들을 살리려고 애썼다(사실은 그렇게 하지 않으려고 애썼다. 이것 역시 사람을 미치게 만드는 녹음 과정의 또 하나의 측면이다. 마이크를 앞에 대고 연주할 때는 음악회 때보다 한층 더 명료하게 표현해야 한다. 앞서 말했듯이 마이크는 감정을 내비치지 않는 청중이다. 감흥을 공유할 상대가 없다. 따라서 자신이 뭔가를 만들어내려고 애쓰는 모습을 의식하는 순간 감흥의 솔직함은 휘발하고 만다. 그러므로 각종 **장비들 속에서** 뭔가를 만들어내야 하는 상황에서는 자의식을 완전히 내려놓고 연주해야 한다).

그러나 이번에도 삐거덕거리는 소리가 났다. 다시 시도했지만 마찬가지였다. 여러 차례 이런 상황이 반복되자 내가 연주하는 데 필요한 어떤 감정도, 어떤 예술적 목표도 남아나지 않았다. **이 끔찍한 소음을 다시 내지 말아야**

한다는 노력에 온 정신이 팔려 내 정신적 기력이 바닥나고 만 것이다.

실은 이렇게 하지 않아도 된다. 불편한 소음은 녹음을 마스터링하는 과정에서 얼마든지 제거할 수 있기 때문이다. 녹음 기술이 전부 악마의 발명품은 아니다. 그러나 이런 작은 사고들은 녹음 과정 중에 얼마든지, 언제든지 벌어진다. 항상 놓친 음이 있고, 매끈하게 이어지지 않은 음들이 있고, 제대로 처리되지 않은 화음이 있다. 이런 사소한 요소에 신경을 쓰다 보면 더 큰 예술적 비전에 집중하는 일이 어떻게 방해받지 않겠는가? 그런 비전을 다루는 데 필요한 자유와 기쁨이 어떻게 억제되지 않겠는가?

나는 우리 시대의 예술가들이 연주하는 베토벤 소나타를 음반으로 많이 들었고 음악회에서는 더 많이 들었다. 괜찮은 연주가 많았고 훌륭한 연주도 제법 있었지만, 내게 정말로 영감을 선사한 연주는 손에 꼽을 정도였다. 그리고 내가 언급한 특징들 — 호기심, 사랑, 유머, 상상력, 열린 마음 — 을 슈나벨의 음반에서만큼 풍부하게 내보인 연주는 없었다. 물론 슈나벨은 대단히 위대한 예술가이며, 그런 대가들은 시대와 장소에 구애받지 않고 영향력을 행사한다. 반면에 나는 우리 세대가 열망하는 **나무랄 데 없는 연주**가 음악의 가장 위대하고 가장 본질적인 특징들을 야

금야금 갉아먹고 있다는 의혹을 떨칠 수가 없다.

* * *

여기서 분명하게 해두고 싶은 것이 있다. 과거의 음악 작업이 내게 엄청난 매력으로 다가오는 건 사실이지만, 설령 선택권이 있더라도 나는 다른 시대에 살면서 작업하거나 연주하고픈 생각이 추호도 없다. 예전의 음악계―베토벤이 살았던 빈이든, 브람스의 빈이든, 20세기 초의 베를린이든―에 대해 내가 접한 모든 글들은 정치적으로나 예술적으로 지금보다 훨씬 시야가 좁고 배타적이고 편협한 사회를 보여주었다.

물론 베토벤이 살던 시대에서 멀어질수록 그를 이해하기가 더 어려워진다는 점에는 의문의 여지가 없지만, 나는 이런 어려움이 꼭 나쁘다고는 생각하지 않는다. 그의 소리가 구축한 세계, 그가 중요하게 고려했던 사항, 그의 음악이 표명한 불만에 대해 우리가 모르는 것이 많다고 여길 때 얻을 수 있는 장점이 있다. 우리가 기댈 수 있는 통념이나 전통(토스카니니에 따르면 "과거의 끔찍했던 연주")이 많지 않으면 우리는 그만큼 더 열심히 찾아보게 된다. 그런 탐구를 통해 얻은 답은 기계적으로 손에 넣은 답보다 낫다. 설령 같은 결론이더라도 말이다(베토벤의 소나타를 세 번, 네 번 연주하다 보면 도중에 이러저러한 이유로 거부했던 맨 처음의 아이디어로 돌아갈 때가 자주 있다. 이런 과정을 거치면 그 아이디어는 처음에 내가 제대로 이해하지 못했던 맥락에 놓이면서 더 분명해지고 강화된다). 우리의 예술 문화는 때로는 체계적이지 못하거나 잘못된 방향으로 향하는 것처럼 보이기도 하지만, 나는 궁극적으로 우리가 더 많은 창조의 자유를 누릴수록 더 좋은 예술을 하게 된다고 믿게 되었다.[9]

여기서 하나 덧붙일 것이 있다. 나는 현 시대의 감성에 대한 내 감상을 늘어놓으려는 게 아니다. 그것은 이미 어쩔 수 없는 내 일부이기 때문이다. 유일하게 쓸모 있는 질문이지만 동시에 나를 자주 곤혹스럽게 하는 질문은 다음과 같다. 오늘날의 현대적인 음악 문화에서 취한 좋은 점과 옛 거장들의 연주에서 발견한 (그리고 지금은 희귀해져서 그리운) 특징들을 어떻게 통합시킬 수 있을까? 이 질문의 답을 찾아가는 과정에서, 또한 앞으로 논할 레퍼토리와 관련해서 나는 내게 본보기가 되는 또 한 명의 위대한 피아니스트 루돌프 제르킨Rudolf Serkin을 언급하고자 한다.

제르킨은 슈나벨보다 스물한 살 아래다. 그는 내가 열 살이던 1991년까지 살았지만 나는 그를 만난 적도, 그의 연주를 실황으로 들은 적도 없다. 그럼에도 그가 연주한 〈월광〉, 〈비창〉, 〈열정〉 소나타 음반은 내가 처음으로 들은 베토벤 연주였고 내게 크나큰 영향을 미쳤다. 제르킨의 베토벤 소나타 연주가 남긴 지배적인 — 그리고 한결같은 — 인상은 강렬하다는 것이다. 제르킨의 연주를 들으면 음악을 제대로 연주하려는 그의 필사적인 욕구와 맹렬한 헌신이 느껴진다. 여덟 살인가 아홉 살에 그 음반을 처음으로 들었을 때, 나는 맹렬함 그 자체에 큰 인상을 받았다. 그러나 시간이 흐르면서 점점 그의 영혼이 음악적으로 베토벤과 근사하게 맞아떨어진다는 것을 느끼게 되었다.

베토벤의 음악은 여러 이유로 감동과 놀라움을 안겨주지만, 그중에서도 가장 먼저 떠오르는 점은 아마도 그의 의지력일 것이다. 모차르트나 슈베르트는 마치 저 높은 곳에서 베풀어주는 선율을 받아쓰듯이, 마치 펜에서 음악이 절로 흘러나오는 듯한 인상을 자주 받는 데 반해, 베토벤의 악상은 쉽게 떠오른 것이라는 느낌이 전혀 들지 않는다. 우리는 그의 악상과 그 표현방법의 모색이 작곡가에게 있어 마치 죽느냐 사느냐의 문제라는 인상을 받는다. 그가 말하려고 한 것을 말할 때까지는, 아니, 바로 그 방식으로 말할 때까지는, 세상에서 그보다 더 중요한 것이 없다는 인상을 받는다. 제르킨은 베토벤의 음악에 대한 자신의 헌신이 베토벤 본인의 헌신만큼이나 열정적임을 느끼게 한다. 그의 연주는 분명한 메시지를 담고 있다. 베토벤이 펜과 종이에 자신의 영혼을 쏟아부어 작업했음을 생각해보라. 그러므로 악보에 다시 생명을 불어넣는 일에 전력으로 헌신하지 않는 것은 단순한 불성실 이상의 잘못이다. 실로 그것은 죄다.

물론 그렇다고 슈나벨이 틀렸다는 건 아니다. 음악에 대한 슈나벨의 헌신, 그리고 자신의 방식대로 음악의 이해에 다가가려는 그의 노력 역시 의심의 여지가 없다. 하지만 한 세대 차이가 나는 이들 두 거인 사이에는 중대한 차이가 있다. 인간 슈나벨에 대해 말하는 사실상 모든 글들은 반짝이는 그의 눈망울을 언급하고 있고, 그의 연주를 들으면 실제로도 그 모습이 보일 것만 같다. 그의 음악 작업은 분명 **자기**탐닉과는 거리가 멀다. 하지만 그 특유의 너그러움, 음악이 밖을 향해 열리도록 하는 리듬의 유연함, 그의 연주를 배후에서 추동하는 거침없는 즐거움을 생각하면 슈나벨에게도 탐닉적인 면이 있다고 볼 수 있다.

물론 슈나벨이 연주 여행을 다니면서 아내이자 음악적 동반자인 콘트랄토 가수 테레제 베르Therese Behr에게 쓴 편지들을 보면 그의 엄격한 면도 발견할 수 있다. 스스로에게, 자주 다투곤 했던 콘서트 매니저나 공연 기획자에게, 선입견에 빠져서 연주의 진가를 제대로 알아보지 못한다며 걸핏하면 나무랐던 청중에게…… 그는 그 모두에게 공평하게 엄격한 기준을 적용했다. 하지만 그의 연주를 들으면 그가 스스로에게 만족할 줄 아는 사람임이 느껴진다. 음반을 몇 번이고 들어도 그와 같은 기쁨이 느껴지도록 처리된 구간들이 있다. 슈나벨은 그 부분들을 연주하면서 분명 웃음을 지었을 것이다.

제르킨은 그렇지 않았다. 자신이 피아노에 대한 재능이 없다고 확신했던(그의 음반을 들으면 왜 그렇게 생각했는지 이해하기 어렵지만) 그는 80대에 들어서까지도 매일 많은 시간을 연습했다고 한다. 그가 사랑한 음악(다른 누구보다도 베토벤)만 연습한 것이 아니라 오직 기교를 갈고닦기 위해서만 만들어진 스케일, 아르페지오, 연습곡도 연습했다. 처음에는 느릿한 템포로 시작했다가 살금살금 속도를 높여가며, 거의 호전적인 태도로 몇 시간씩을 투자해가며 연습했다. 그가 공동으로 설립한 뒤 40년 넘게 이끌었던 말보로 음악 페스티벌을 경험한 사람들은 지금도 그의 연주가 들려준 경이적인 강렬함을, 음악이 자신의 성에 차지 않을 때(대부분 그렇게 보였다) 그가 내보인 씁쓸함을, 무엇보다 그의 모든 연주가 지닌 핵심 요소였던 거대한 투쟁적인 자의식을 언급한다.

오늘날 제르킨은 그야말로 지나간 시대의 증인처럼 보인다. 타협의 여지없이 광신적으로 음악에 헌신하는 모습, 대중의 인기에 대한 불신, 사회에 대해서는 평등주의자이면서 예술에 대해서는 엘리트주의일 수 있다는, 지금은 상당히 낯설게 느껴지는 그의 신념 같은 것들 때문이다. 이렇듯 자신이 연주하는 음악에 전적으로 몰입하는 모습 — 제르킨이 연주하는 베토벤을 들으면, 그가 행하는 모든 것이 최고로 깊은 수준에서 그야말로 **옳다**고 느끼게 된다 — 은 놀라우리만치 구식이지만, 여기에는 대단히 비타협적이고 대단히 현대적(즉 '기술적')인 엄격함이 함께 따라다닌다. 온몸의 모든 구멍에서 음악적인 기운을 뿜어내곤 했던 그는 이런 수사적 질문을 한 적이 있다. "하지만 베토벤의 피아노 협주곡 G장조에서 트릴을 매끄럽게 하지 못하면, 깊게 느끼는 게 무슨 소용인가?"[10] 바로 이 점에서 그는 내게 영감을 줄 뿐만 아니라 믿고 따를 수 있는 귀감이 된다. 음악의 거시적인 측면과 미시적인 측면에 동시에 신경을 써야 함을 보여주는 말이기 때문이다.

제르킨의 음악 작업은 미시적 차원이 그저 세부 사항들을 뜻하는 게 아니라 그 이상의 힘을 가진 요소임을 우리에게 상기시킨다. 앞서 나온 음에 대한 반응으로 하나의 새로운 음이 출현하고 그것이 다시 자기 뒤에 이어질 음을 (필연적으로) 끌어내는 방식, 음악의 성격을 규정하기 위해 필요에 따라 소리와 타건에 무한하게 섬세한 차이를 부여하는 모습, 주제가 반복될 때마다 아티큘레이션articulation에 조금씩 변화를 주면서 주제의 본질적인 성격을 바꾸는 접근법 등이 바로 그런 모습에 속한다. 앞서 제르킨이 언급한 베토벤의 피아노 협주곡 G장조(4번 작품번호 58)의 맥락에서 보자면, 트릴을 매끄럽게 요리해서 전혀 트릴처럼 들리지 않게, 마치 하나의 음에 후광이 드리워진 것처럼 들리게 하는 것이 미시적 차원에 해당하는 작업이다(청자가 트릴을 일종의 반짝임이 아니라 '트릴'로 인식한다면, 그것은 연주가 덩어리지고 매끄럽지 못했다는 뜻이다).

연주자가 평소에 하는 작업은 대단히 정신적이고 영적인 동시에 대단히 식상한 일이기도 하다. 곡의 구상에 형태를 부여하고 이를 끊임없이 재구성하는 직관과 지성을 기르려면 테크닉이 악상을 완전히 받아낼 수 있을 때까지 끊임없이 연습하고 또 연습하는 것 말고는 다른 방법이 없다. 나는 슈나벨이 이렇게 연습하느라 자신이 좋아했던, 즉 음악과의 관계를 다른 방식으로 강화했던 활동들(작곡, 교습, 등산)에 시간을 많이 할애하지 못해서 힘들어했다는 느낌을 자주 받는다. 이런 관점에서 보자면 마찬가지로 지적이면서 대단히 영적인 음악가였던 제르킨이 자신의 연주를 더 높은 차원으로 끌어올리고 감히 완벽하게 만들고자 맹렬하게 일평생 투쟁한 모습이 더더욱 존경스러워 보인다.

제르킨의 연주는 슈나벨 같은 탄력성이나 환상성은 갖고 있지 않았다. 하지만 깊은 본질로 들어가면 이 두 사람은 훨씬 더 비슷해 보인다. 위대한 음악에 도달 불가능의 경지가 내재되어 있다는 슈나벨의 언급은 베토벤 권위자 제르킨이 베토벤 연주 때마다 뿜어냈던 엄청난 긴장감과 일맥상통한다. 그의 몸과 그의 음악 작업 전체가 그 긴장감 속에 잠긴다. 원래 연주자가 되려면 자신감 이상의 그 무엇이, 일종의 확신이 필요하다. 그렇지 않으면 자신의 해석으로 청중의 주목을 휘어잡기가 어려워진다. 그러나 역설적이게도 **의심**보다 더 강력한 자질, 청중의 마음을 더 크게 흔드는 자질은 없다(다르게 말하자면 우리는 연주자가 해답을 갖고 있어서가 아니라 그가 제기하는 질문을 들을 수 있어서 그에게 끌린다). 베토벤을 연주할 때, 제르킨은 자신의 내면이 들은 소리를 그대로 표현하기 위해 필요한 통제력을 손에 넣고자 끈질기게 노력했다. 하지만 그의 연주가 전하는 것은 그 노력을 통해 얻은 통제력이 아니라, 경외심에 차 바라보는 음악의 경이로움이다.

내가 가장 감탄하는 것은 그의 통제력이지만, 그의 연주를 잊을 수 없게 만드는 것은 경이로움이다.

* * *

베토벤의 음악에 대한 내 감정을 설명할 때 '경이wonderment'보다 더 적절한 단어는 없다. 나는 아홉 살에 자동차 안에서 카세트테이프로 제르킨이 연주하는 〈열정〉을 처음 들었고, 그때 나를 지배한 느낌이 바로 그것이었다. 그로부터 1년인가 2년 뒤에 부다페스트 사중주단의 음반에서 〈대푸가〉를 발견했을 때 또 한 번 경이가 나를 휘어잡았다.^f 처음 이 곡을 들었을 때, 어떻게 이해해야 할지 몰라서 곧바로 다시 **들어야만** 했던 기억이 생생하다. 그 이후로 수없이 듣고 베토벤 본인이 네 손을 위해 편곡한 피아노 버전을 여러 차례 연주하기도 했지만, 나는 이 곡을 겨우 조금 더 이해할 수 있게 되었을 뿐이다. 이 곡이 지닌 신비는 여전히 저항할 수 없을 만큼 매력적이다. 그리고 열세 살에 베토벤 피아노 소나타 전곡을 처음으로 접했을 때는 그야말로 온몸이 떨렸다.

방금 언급한 사례들은 모두 귀로 들은 경험이었다. 내가 직접 연주를 하면서, 다시 말해 나와 음악의 관계가 촉각적인 것이 되고, 여기에 자기표현이라는 문제가 끼어들자 그 경이감은 다시금 몰라보게 증폭되었다. 이런 종류의 경외감은 떠안고 살아가기에는 지나치게 강렬하지만 결코 부정적인 것은 아니다. 오히려 감당하기 어려운 경외감이란 연주자에게 필수불가결한 덕목일지도 모른다. 도달할 수 없는 곳을 찾아 나선다는 느낌이 베토벤 음악의 해석에 있어 필수적이라고 확신하기 때문이다. 한편으로 이러한 확신은 실제적으로 커다란 어려움을 야기한다. '그곳'에 도달할 수 없다는 결론에 이르렀는데 어떻게 — 그리고 언제 — 그것을 찾아 나서려고 마음을 정하겠는가? 베토벤의 소나타 전곡을 연주하기 위한 만반의 **준비**를 갖추는 게 불가능하다면, "준비가 되었든 안 되었든 한번 해보자" 하고 말할 수 있는 순간은 언제라는 것인가?

이렇게 골치 아픈 질문에 대답하려 할 때, 나는 다시 한 번 부정적인 정의에 기댄다. 그와 같은 프로젝트를 떠맡을 준비가 되었는지 아는 것은 불가능할 수 있어도, 아직 준비가 되지 **않았음을** 아는 것은 얼마든지 가능하다. 평생 동안, 특히 피바디에서 전곡 연주를 듣고 나서는 더더욱, 나는 베토벤의 소나타 서른두 곡을 연주하고 싶었다. 더 정확히 말하자면 나는 다른 어떤 작품보다 이 소나타들이 내게 중요하다는 사실을, 그래서 내가 평생을 두고 탐구하고 싶어 한다는 — 그러지 않을 수 없다는 — 사실을 알고 있었다. 혼자서 음악을 무한정 연구하는 일도 정말 좋지만, 사람들 앞에서 연주하고 나면 작품과의 관계가 새로운 차원으로 나아간다. 여기에는 여러 이유들이 있다. 연주자에게 너무도 중요한, 그리고 공연을 앞두고 있을 때 더 크게 부각되는 음악 작업의 촉각적인 측면도 **빼놓을** 수 없지만, 무엇보다 중요한 점은 따로 있다. 이런 작품은 **소통되고자** 존재하므로 그런 소통을 해보지 않고서는 알 수 없는 측면들이 존재한다는 것이다. 그래서 미국의 제법 큰 도시의 공연 기획자가 스물세 살의 내게 서른두 곡의 소나타 연주를 제안했을 때, 나는 흥분으로 설렜어야 했다. 사실 아주 설레지 않은 것은 아니었다. 하지만 동시에 내가 과연 할 수 있을까 하는 의문에 모질게 시달렸다. 그 어떤 보완책도 — 프로젝트 시작을 3년 뒤로 미루거나 콘서트 기간을 길게 잡는 것도 — 엄청난 두려움을 줄이지는 못했다.

그때 내가 두려움을 느낀 이유를 돌아본다. 뭐라고 딱 집어 말하기 어려운 두려움도 있었지만 명백한 것도 많았다. 일단 그때까지 내가 연주해본 베토벤 소나타는 고작 열 곡이었고, 특히 마지막 다섯 소나타 중에서는 한 곡만 연주해본 형편이었다(초기 작품이 연주하기 **더 쉽다**고 말하는 것은 잘못이겠지만 — 순전히 신체적인 관점에서만 보면 초기의 몇몇 곡들은 연주하기가 엄청나게 불편하다 — 후기 작품들은 전례가 없고 유일무이해서 이해 불가능한 음악언어로 작곡된 것처럼 보였기에 내가 넘어야 할 산이 훨씬 더 크게 느껴졌다). 내가 전곡을 연주하게 된다면 따로 배워야 할 곡들이 있겠다는 생각은 항상 했었지만, 아직 손대지 않은 소나타가 스물두 곡이나 되는 상황에서 전곡 연주에 도전하는 것은 무모하다는 생각이 들었다.

앞서 언급한 이유와 밀접한 연관이 있지만, 궁극적으로 구분되는 두 번째 이유가 있다. 몸과 마음을 단련시키는 것만으로는 이들 작품의 진수에 도달하는 데 한계가 있음을 경험으로 체득한 것이다. 실제로 한동안 음악을 제쳐두고 마음과 손가락으로 다른 일에 몰두하다 보면 곡에만 매달릴 때보다 더 큰 성과를 거둘 때가 자주 있다. 나는 처음 접한 곡에서 뭔가 — 예컨대 악구의 형태를 잡거나 경과부를 처리하는 것 — 를 고민하고 유기적인 해결책을 찾으려고 애써보지만, 어떤 시도도 자연스럽게 들리지 않을 때가 많았다. 이거다 싶은 느낌이 들지 않았다. 그런데 몇 달 동안 그 곡을 제쳐두고 거기에 대해 전혀 생각하지 않다가 다시 접근해보니 과거의 문제들이 저절로 해결돼 있는 경우가 많았다(이번에도 슈나벨에게로 돌아가자면,

하나의 질문에 답을 얻자 새로운 질문이 생겨났다). 이런 과정에는 손쉬운 지름길이 없다는 사실을 알면 아쉬울 수도 있겠지만, 여하튼 나는 곡을 익힌 뒤 곧바로 무대에 올리지는 않는 것이 좋겠다고 판단했다. 콘서트홀의 억압적인 분위기에서 벗어나 우선 배운 것이 잘 스며들도록 놔두는 쪽이 훨씬 낫다. 무대에 서면 연주자는 당장 그럭저럭 통하는 것—설령 그것이 최선이 아니더라도—에 의존할 수밖에 없다.[11] 만약 내가 스물세 살에 베토벤 소나타 전곡 연주 제안을 받아들였다면, 많은 소나타들을 배우고 곧바로 무대에서 연주해야 하는 현실을 피하지 못했을 것이다.

세 번째 이유는 베토벤 소나타의 바깥에 있는 세계와 연관된다. 아직 접해보지 못한 작곡가와 음악이 많은데, 그 상태로 베토벤 전곡 연주에 나선다는 것은 일정 기간 동안 그처럼 극단적인 작품에만 몰두해야 한다는 뜻이었다. 음악적으로 다양한 곡들을 접해봐야 할 시기에 다른 음악을 배울 가능성을 빼앗기는 것이나 마찬가지라고도 할 수 있다. 이는 물론 부분적으로는 내 음악적 발달과 관계되는 문제다. 베토벤 소나타 전곡에 도전하느라 다른 곡들, 예컨대 내게 단연코 중요한 곡들이며, 시기를 너무 늦춘다면 배우기가 훨씬 어려워질 수 있는 모차르트의 협주곡이나 슈만의 독주곡을 멀리했다면, 그것은 대단히 나쁜 결정이었을 것이다. 이러한 음악적 발달의 문세는 내가 베토벤 프로젝트를 수락할지 말지 결정하는 데 직접적인 영향을 미쳤다.

베토벤의 음악은 콘서트 프로그램에 편성하기가 아주 쉽다. 음악사에서 분수령을 이루는 작품이라는 것이 그 이유 중 하나다. 시기적으로 베토벤에 앞섰던 모든 음악(특히 고전주의 음악은 확실히)은 베토벤과 밀접하게 이어지는 것으로 보이며, 베토벤 이후에 나온 모든 음악은 베토벤에 대한 반응으로서 존재한다. 놀라움을 주고 독창적인 창의성을 구축하려 했던 하이든의 의지와 **모든 곳에서** 표현적 가능성을 찾으려는 모차르트의 방식(이 둘은 서로 얼마나 다른가!)은 베토벤 음악의 뿌리에 함께 자리 잡으면서 하나가 되었고, 두 가능성을 융합한 그 '뿌리'는 새로운 방식으로 자라 나갔다. 한편 1827년 이후에 작곡된 베토벤 음악의 핵심적인 측면들 — 누구와도 비교할 수 없는 독자성, 마지막 악장까지 어떤 해결도 보지 않는 비대칭적인 구조, 조성 체계를 서서히 붕괴하도록 내모는 담대한 화성, 투지 — 을 붙잡고 씨름하지 않는 곡을 찾으려면 중부 유럽 전통 밖으로 나가야 한다.

하지만 멀리 떨어져 있는 이들에게도 그는 거대한 존

재로 보인다. 커쉬너, 쿠르탁, 야나체크, 다케미츠처럼 다양한 특징을 선보이는 작곡가들의 음악에서는 베토벤이 중심적인 역할을 하지는 않지만, 이들 작곡가들이 써낸 음악의 몇몇 특징은 여전히 베토벤을 가리킨다. 그는 언제나 어디에나 있다. 그러니 베토벤에 관해 많은 것을 말해줄 수 있는 엄청난 분량의 위대한 음악들을 다루지 않은 채로 여러 해 동안 주로 베토벤만 파고들겠다고 결심하는 것은 현명하지 못할뿐더러 무책임해 보이기까지 했다.

7년이 흐른 지금 무엇이 바뀌었을까? 나는 앞으로 9년에 걸쳐 베토벤의 곡들을 녹음할 예정이다. 이렇게 녹음 일정에 여유를 둠으로써, 나는 부담을 다소 덜 수 있었다. 또 하나 중요한 사실은 내가 녹음을 준비하는 동안 베토벤에게 몰입하되, 전적으로 그에게만 전념하지는 않을 것이라는 점이다. 베토벤의 음악은 진공 상태에서 존재하는 것이 아니라 그의 전임자와 후임자들(혹은 그에 앞선 인물들과 뒤에 오는 인물들)과 대화를 나누는 과정에 존재한다. 처음 녹음 제안을 받은 것은 그리 오래전 일은 아닌데, 그때 선뜻 응하지 못했던 프로젝트에 뛰어들기로 결정하면서 내겐 중요한 변동사항이 생겼다. 나는 단순히 소나타를 연주만 하는 것이 아니라 녹음도 할 예정인데, 앞서 말했듯이 녹음은 음악가의 삶에서 가장 큰 고민과 혼란을 안겨주는 일이다.

　명백한 사실부터 언급하기로 하자. 내가 연주해본 소나타는 2004년에 열 곡이었고 지금은 열여덟 곡이 되었으며, 이 곡들은 베토벤의 모든 작곡 시기에 걸쳐 있다. 각각의 소나타가 명백히 독특한 질문과 문제를 제기하는 것은 틀림없는 사실이지만 — 그래서 독자적인 감정의 우주를 내포한 각각의 소나타를 뭉뚱그려 언급하는 것은 오해의 소지가 있지만 — 베토벤의 음악적 개성과 점점 발전하는 음악 언어를 충분히 파악할 만큼 나는 그의 소나타를 두루 연주해보았다고 말할 수 있다. 소나타 외에 다른 베토벤 곡들(많은 독주곡, 협주곡 전곡, 실내악곡 대부분)을 연주해보고, 교향곡과 특히 현악 사중주곡을 열심히 듣고 공부한 것도 내가 이런 자신감을 갖는 데 도움이 되었다.

　나에게 현악 사중주곡은 소나타보다 훨씬 더 베토벤의 가장 개인적인 진술로 다가올 때가 많다. 아마도 베토벤 본인이 직접 연주하지 않는 악기를 위해 작곡한 곡이어서 세속적인 관심사 — 연주자가 이 곡을 연주할 수 있는가, 청자가 이 곡을 이해할 수 있는가 — 에서 벗어날 수 있었을 것이고, 그래서 이 현악 사중주곡에다 가장 위안을 주는 동시에 가장 마음을 후벼 파는 음악을 자유롭게 풀어놓을 수 있지 않았을까. 특히 후기 사중주들은 인간의 이해를 넘어서는 것처럼 보일 때가 많으며, 그럼에도 이 곡들에 도전하는 것은 베토벤을 안다고 느끼기 위해서다.

지난 7년 동안 다른 곡들도 많이 배웠다. 바흐와 헨델의 곡은 물론 신곡들 — 각별히 나를 위해 작곡된 몇 곡도 있었는데, 해석자인 내가 하는 일과는 굉장히 동떨어진 창조적 과정에 대해 귀중한 통찰을 얻었다 — 까지, 그리고 물론 그 사이에 있는 수많은 곡들도 배웠다. 특히 모차르트의 곡을 많이 접했는데, 그 과정에서 발견한 베토벤과의 커다란 차이점으로 인해 결과적으로 베토벤을 더 잘 이해할 수 있었다. 간단히 말하자면 모차르트는 극장의 작곡가로서 현실 세계에 대해 작곡한다. 반면에 베토벤은 이상화된 세계를 그린다. 베토벤은 모차르트를 무척 존경했는데, 그의 음악적 드라마가 모차르트와는 완전히 다른 출처에서 솟아오른 것임을 생각하면 참으로 흥미롭다. 모차르트 음악이 자주 대화를 연상시킨다면, 베토벤은 대부분 우렁찬 하나의 목소리로 전개된다. 모차르트의 기질은 변덕스럽고 베토벤의 기질은 확고부동하다. 또한 모차르트는 영감이 자신을 다른 방향으로 이끌면 곡의 내러티브가 끊기는 것도 기꺼이 감수하는 데 비해, 베토벤의 음악은 그 곡이 제기하는 주된 질문을 해결하려는 주제의식에서 크게 벗어나는 법이 없다.

나는 슈베르트의 곡도 많이 배웠다. 베토벤과는 근본적으로 성격이 다른 이 음악 천재가 그 본질적인 차이에도 불구하고 베토벤의 영향을 깊게 받았다는 사실이 감탄스러웠다. 이런 관계를 보여주는 눈에 띄는 사례들이 있다. 예를 들어 슈베르트의 A장조 소나타(D959)의 마지막 악장은 전체적인 형식은 물론이고 특정한 제스처까지도 베토벤의 소나타 작품번호 31-1의 피날레와 너무도 흡사해서 우연이라고 믿기 어려울 정도다.[5] 그러나 베토벤이 그에게 어떤 본보기가 되었는지 제대로 보여주는 부분은 슈베르트가 말년의 작품에서 추구한 장대함과 개성이다. 재료의 성격이 완전히 다르고 재료를 **사용하는 방식**도 그다지 비슷한 점이 없지만 — 베토벤은 발전시키고 주장하며, 슈베르트는 돌아다니고 꿈꾼다 — 슈베르트가 지닌 비전의 폭과 그것을 실현시키고자 했던 용기를 보면 그가 베토벤을 얼마나 면밀히 연구했는지 알 수 있다.

슈만의 많은 피아노곡들을 배웠을 때는 독일 음악사에서 가장 독창적이고 이례적인 그 목소리조차 베토벤과 연결돼 있음을 알 수 있었다. 시적 감수성, 기이한 아름다움을 섬세하게 포착하는 귀, 근사한 비논리성의 재능은 오로지 슈만 본인만의 것이다. 하지만 그 분투하는 느낌, 그리고 음악을 마치 일기처럼 삶의 공포와 불만에 대처하는 방편으로 사용하는 방식은 베토벤에게서 가져온 것이다. 나는 브람스의 걸작들도 많이 연주했다. 베토벤이 죽고 6년 뒤에 태어난 이 거장이 베토벤처럼 **되고자** 하면서 느꼈던 막강한 중압감과 곤경, 그리고 마침내 자신의 위대한 자아로 이를 승화시킨 사실에 나는 깊은 감동을 받았다. 게다가 브람스를 통해 베토벤에게도 똑같이 적용되는 하나의 사실을 알게 되었다. 엄격함은 열정의 표현에 전혀 걸림돌이 되지 않는다는 사실, 그리고 작곡 기술은 비록 영감을 **대체**하지는 못하나, 영감이 효과를 발휘하기 위해서는 절대적으로 갖추어야 할 능력이라는 점이다.

쇤베르크와 그 유파들의 곡을 배울 때는 이런 생각을 했다. 베토벤 자신은 이런 음악을 결코 상상하지 못했겠지만, 이 음악들은 베토벤이 개척한 길의 자연스러운 귀결이라는 것이었다. 쇤베르크는 자신이 만든 12음 체계로 불협화음을 '해방시킬' 필요성에 대해 역설한 바 있다. 베토벤이 말년의 음악에서 대담하게 온음계 체계를 뒤흔들 즈음에 무조성으로 향하는 음악사의 발걸음은 이미 시작되었다고 할 수 있다. 그리고 물론, 전적으로 새로운 음악을 창안하려는 쇤베르크의 노력 — 그가 죽고 60년이 지난 지금에 와서 보면 제한적인 성공이라고 할 수 있다 — 은 베토벤 말년의 시기를 더더욱 경외에 찬 눈길로 보게 만든다. 쇤베르크의 음렬주의 음악이 향수를 자아내는 아름다운 악절과 명백히 '짜 맞춘' 무거운 음악을 병치한다면, 베토벤의 말년의 양식은 쇤베르크와 마찬가지로 앞서 있었던 모든 음악과 언어적으로 동떨어져 있으면서도 서양 문명을 통틀어 가장 심오한 진술들을 매끄럽게 담아내기 때문이다. 베토벤의 소나타 30번을 치기 바로 전에 쇤베르크의 피아노곡을 한 곡 연주하면 베토벤이 쇤베르크보다 더 만족스러울 뿐 아니라 더 대담하고 더 **현대적으로** 들리는 다소 놀라운 경험을 하게 된다. 나는 연주회에서 이런 시도를 여러 차례 하고 직접 체험한 바 있다. 쇤베르크의 음악은 베토벤보다 더 복잡할 때가 많지만, 그것은 대처할 수 있는 복잡함이다. 하지만 베토벤의 신비로움은 여전히 불가해한 채로 남아 있다.

나는 이처럼 여러 작곡가들의 음악들을 배우면서 비단 그들과 베토벤과의 관계성을 인식하는 데 그치지 않았다. 이 경험들은 나를 베토벤으로 **이끌었다.** 여러 거인들이 베토벤에게 바친 그 몰입의 무게를 느끼게 되자 그에 대한 나의 몰입도 점차 강렬해졌다. 내게 늘 성배와도 같았던 베토벤의 소나타는 동시에 점차 다른 무엇으로 변해 갔다. 즉, 내가 접한 다양한 음악적 매혹들이 베토벤을 중심으로 궤도를 이루며 공전하기 시작했던 것이다. 나의 음악 영역이 넓어질수록 그는 더 확고한 중심을 차지했다. 그는 항상 그곳에, 중심에 있었다. 다시 반복해서 말하고 싶다. 베토벤은 그 공간에 늘 있었다.

* * *

따라서 어떻게 보면 내가 베토벤의 소나타 전집을 녹음할 '준비'가 되었다고 느끼게 만든 계기는 곧 베토벤을 향해 점점 커져가는 강박이었다. 그 강박은 소나타 전집 녹음에 대한 두려움을 줄여주지는 않았지만, 내가 **두려움을 느끼는 방식을 진전**시켜 주었다. 그 이전에는 두려움이란 내가 몰아내야 하는, 혹은 적어도 극복해야 하는 무엇이었지만, 그즈음부터는 내가 거의 끌어안을 수 있는 무엇이 되었다.

서른두 곡의 소나타를 연주하자는 제안을 처음 받은 것은 필라델피아의 커티스 음악원을 그만둔 지 3년 정도 되었을 때였다. 어떻게 보면 학교를 졸업한 지 얼마나 지났느냐는 그리 중요한 문제가 아니었다. 음악가들은 본질적으로는 평생 음악을 배우는 학생이기 때문이다. 그러나 악보의 안내를 받는 것과 대가의 지도를 받는 것에는 큰 차이가 있다. 하나는 수동적으로 받아들이는 수밖에 없지만, 다른 하나는 극도로 몰입해서 서로 영향을 주고받는 과정이다. 플라이셔와 함께했던 시간은 말할 수 없이 소중했지만, 개성이 강한 사람과 정기적으로 만나다 보면 자기 자아를 실현하는 과정에 문제가 생길 수도 있다. 나만큼이나 플라이셔를 존경하는 한 동료는 학교를 그만둘 무렵에 내 연주가 플라이셔의 연주처럼 '거북하게' 들리기 시작했다고 말했다. 내가 의식적으로 그를 모방하려고 했다고는 믿지 않지만 ─ 그가 피아노에서 이끌어내는 다이아몬드 같은 울림을 따라 할 수라도 있다면 행운이다 ─ 나는 그 말에 진실이 포함돼 있었음을 의심하지 않는다.

어렸을 때부터 나는 플라이셔의 연주가 그저 인상적이기만 한 게 아니라 묘한 매력이 있다고 느꼈다. 어떤 음악가가 악구를 처리하는 방식이 이루 말할 수 없이 **옳다**는 느낌을 받는 경우는 거의 없다. 여기에 그의 막강한 카리스마까지 더해졌으니, 내가 4년 동안 그가 했던 모든 말에 매달린 것도 놀랄 일이 아니다. 플라이셔가 음악에 접근하는 방식은 주로 직관적이면서 열의에 넘쳤다. 그러면서도 그에게는 면밀히 따라야 할 거의 방법론이라고 할 만한 원칙들도 있었다. 곧 리듬을 구성하고 해석의 방향을 선택하기 위한 원칙이었다. 부분적으로는 이런 방법론들이 그의 연주를 그토록 매력적으로 만드는 형언할 수 없는 특징의 밑바탕이라고 믿었고(혹은 믿고 싶었고), 그래서 한

동안은 그 원칙들을 구현하는 데만 관심을 두었다.

하지만 세월이 흐르면서 여기에 심각한 결함이 있음을 깨닫게 되었다. 방법론 자체가 아니라 그것을 그대로 따라 하려는 내 욕망이 문제였다. 위대한 예술가는, 실은 어떤 사람이든, 그만이 가지고 있는 정수가 있다. 이런 정수는 아무리 면밀히 연구하거나 탐내도 다른 사람이 가질 수는 없다. 어떤 예술가에게서 다른 사람이 **취할 수 있는** 것은 표면적인 디테일 정도인데, 그것도 정수와 분리되어 있다면 그 디테일은 별 소용이 없다. 따라서 내가 플라이셔에게 배운 것을 실제로 **거부**하지는 않았다 해도―실은 지금도 날마다 그것들을 생각한다―그것들은 자연스럽게 조금씩 나의 세계에서 벗어났다. 대신에 그 가르침들은 내가 음악 또는 피아노와 더 내밀한 관계를 맺기 위해 그때그때 골라 사용하는 도구로 변했다.

궁극적으로 나는 다른 누군가처럼 되려고 하는 실수를 저지르기보다는 나 자신만의 실수를 저지르고 싶었다. 이것은 내가 플라이셔에 대한 존경심을 받아들이고 말고의 문제가 아니었다. 내 사고방식 자체가 근본적으로 바뀌면서 생겨난 변화였다. 요컨대 나는 그 순간 그 자리에서 내 연주를 듣는 사람이 나를 인정하는지 아닌지에 대해 신경을 덜 쓰게 되었다. 내가 어깨너머로 돌아보기를 멈추고 내 연주에 대한 나 자신의 반응에 에너지를 집중시키자(물론 내 반응과 다른 사람의 반응을 분리하는 과정은 복잡하며 계속 애를 써야 한다) 실수할지도 모른다는 생각이 그렇게 두렵지 않았다. 또한 가장 도전적인 음악을 떠맡고 싶다는 욕망이 불안으로 인해 위축되는 경우도 훨씬 줄어들었다.

만약 음악 자체도 하나의 문제로 볼 수 있다면, 용기를 내어 베토벤 프로젝트를 진행하기에 앞서 스스로를 설득해야 했던 또 하나의 문제가 있었다. 바로 녹음 과정에 대한 것이었다. 녹음 작업이 안겨주는 불안에 대해 과장 없이 말해보겠다. 5년인가 6년 전에 한 음반사 간부와 이야기를 나눈 적이 있었는데, 그는 자신이 음악가라면 예술가에게 더없이 좋은 실험의 기회를 제공하는 녹음 활동을 가장 좋아했을 거라고 말했다. 나는 이런 생각을 가진 예술가를 아직 만나본 적이 없다.[12] 나는 앞서 녹음 과정이 불편하게 여겨지는 몇 가지 이유를 언급했다. 예컨대 현대 청중의 기대감, 스튜디오 녹음이 만들어지는 인위적인 환경에 토대를 둔 음악 문화가 청중들에게 주입한 다소 분석적인 청취 태도가 그것이다. 하지만 녹음 작업에는 이런 이유들과 마찬가지로 인위적이고 불편한, 그러나 그보다도 더욱 근본적인 문제 혹은 현실이 있다. 그것은 바로 청중의 부재, 혹은 청중이 보이지 않는다는 점이다.

두루뭉술하게 들릴 것을 감수하고 말하자면, 예술가
와 청중의 관계는 **복잡하다**. 무척 제한적인 방식으로만 소
통함에도 불구하고, 일대일로 맺어진 관계가 주고받는 감
정들을 놀라우리만치 많이 불어넣을 수 있다. 적절한 환
경과 적절한 마음 상태를 가진 청중들은 엄청나게 훈훈한
분위기를 제공할 수 있고, 이 분위기는 음악 연주를 신나
게 만든다. 하지만 환경이나 마음 상태가 살짝만 틀어져
도 ― 예컨대 안 좋은 타이밍에 기침을 한다거나 불안정한
요소가 의식의 전면에 불쑥 치고 나오면 ― 감정은 적대적
으로 바뀔 수 있다. 완전히 몰입해서 듣는 청중은 연주자
의 맥박을 빠르게 만들거나 시간의 흐름을 알아차리지 못
하게 만들 수 있다. **부주의한** 청중은 연주자를 무관심하게
만들거나 필사적으로 청중에게 매달리도록 만들 수 있다.

청중과 연주자 사이의 교류는 대부분 보이지 않게 투
사되다 보니 연주자는 청중이 무엇을 경험하는지 **실제로**
모를 수 있고(물론 청중은 경계가 불분명한 덩어리가 아
니라 각자 독특한 경험을 가진 개인들의 집합이지만), 그
래서 청중은 연주자가 자신의 욕망과 불안을 옮겨다 놓을
수 있는 대단히 편리한 대상이 된다. 그렇다고 청중과 연
주자 사이의 감정이 왜곡된다거나 관계가 덜 중요해진다

는 뜻은 아니다. 대체 어떤 관계가 투사된 감정을 수반하지 **않는단** 말인가?

음악 작품의 연주는 본질적으로 작곡가, 해석자, 청중이라는 세 존재 간에 벌어지는 대화다. 연주자는 작곡가의 부재에 대처하는 법을 어쩔 수 없이 배운다. 더 정확히 말하면 우리는 곡을 쓴 사람과 실제로 대면하지 않고, 음악을 연구하고 교감하는 방식으로 조금 색다르고 보다 일방적인 관계를 만들 수밖에 없다. 그렇기에 청중의 물리적 존재는 연주자에게 더더욱 중요한 것이 되었다.[13]

이렇게 볼 때, 녹음을 위해 연주할 때는 끔찍한 외로움을 느낄 수 있다. 연주자와 청중의 관계는 항상 긍정적이거나 건강하지는 않겠지만, 아무튼 존재하는 **관계**이므로 한쪽이 부재하면 그 공백이 극심하게 부각된다. 소나타 30번을 녹음했을 당시 내가 얼마나 혼란스러웠는지를 돌아보면 이런 고립감에도 돌아봄직한 의미가 있다고 확신할 수 있다. 연주자들은 경외감과 두려움이 섞인 어조로 녹음 연주에 대해 말하곤 한다. 녹음은 한번 하고 나면 **결코 바뀌지 않는다**고 말이다. 이러한 명백한 사실은 연주자로 하여금 순간의 해석에 충실한 것을 넘어 일종의 이상화된 모습을 제시하도록 압력을 행사한다. 그러나 나는 녹음이 진공 상태에서 만들어지는 것도 우리가 완성된 산물

에 대해 비현실적인 욕망을 갖게 되는 하나의 원인이라고
점차 확신하게 되었다. 내가 (슈나벨의 도움을 받아) 반복
해서 말했듯이, 특정 순간에 위대한 작품을 상상하는 것과
그것을 실현하는 것 사이에는 항상 거리가 있다. 그것도
큰 격차일 때가 많다. 그러나 음악회에서는 이런 거리감에
빠져들 겨를이 없다. 각각의 연주회는 결국 하나의 **내러티
브**이며, 내러티브는 곧 흐름이기 때문이다. 이 내러티브는
연주자가 청중의 반응을 지속적으로 인식함으로써 계속해
서 흐르기 마련이다. 청중의 기대나 욕망에 부응하는 식으
로 연주를 맞춘다는 의미가 아니다. 그보다는 청중의 귀를
통해 음악을 경험함으로써 연주의 가치를 재발견할 수 있
고, 연주자가 자신의 해석에 대해 느끼는 무거운 책임감이
더 활력 넘치고 짜릿한 연주로 이어질 수 있다는 뜻이다.

　녹음 스튜디오의 침묵과 정적 속에서는 이런 반응을
느끼려는 연주자의 욕망, 아니 그것을 느껴야 하는 기본적
인 필요조차 충족되지 않는다. 연주자에게 냉담한 현실을
환기시키는 소리 외에는 눈을 돌릴 만한 대상이 아무것도
없다. 연주자와 청중의 관계는 진정한 상호 소통의 수준
에는 한참 못 미칠 수 있겠지만―청중은 어쨌든 연주하
지 않으므로―연주자와 **마이크**의 관계는 그보다도 훨씬
못하다. 마치 법정에 선 증인과 속기사의 관계 같다. 연주

자는 연주하고, 마이크는 자신이 듣는 것을 말 그대로 음반에 집어넣는다. 이런 직설적인 과정 속에는 **반응**이 존재하지 않으며, 이 사실은 음악가를 내향적으로 몰아간다. 대화를 나눌 상대가 없으면 내면의 귀에 들리는 목소리는 갈수록 커지고, 이상화된 연주를 하고 싶다는 불가능한 욕망은 갈수록 강해진다.

이것이 바로 녹음의 어려움이다. 음악으로 소통하고 싶다는 욕망이 음악을 **통제**하고 싶다는 욕망에 의해 제동이 걸리고 때로는 대체되기도 한다는 것 말이다. 물론 통제를 추구하는 것도 나름의 의미가 있지만 통제의 기본적인 기능은 제한을 만드는 것, 가능성에 한계를 부여하는 것이다. 통제하려는 충동은 음악을 **인간적으로** 만들려는 욕망과 충돌하게 마련이지만, 스튜디오에서는 그 척박하고 고독한 환경으로 인해 통제를 향한 욕망을 버리기가 극도로 어렵다.

그렇다. 극도로 어렵다. 하지만 꼭 필요하다. 적어도 음반에 실황 연주의 정서적 울림을 담고 싶다면 말이다. 이 문제를 실질적으로 해결할 수 있는 유일한 방안이 있었다. 하지만 그것은 내 직관에 위배되어 보였으므로, 그 방법은 대단히 천천히, 드문드문 깜빡이며 내게 와닿았다. 그 해결책이란 바로 녹음에 대한 기대치를 줄이고, 그것을 마음으로 받아들이는 것이다. 음악가가 해당 작품을 한 번도 연주해보지 않은 채 녹음을 시작하는 경우는 거의 없다. 대개는 여러 차례 연주회에서 연주해본 곡이다. 연주회장의 흥분된 분위기에서 스튜디오의 격리된 분위기로 옮겨오면, 눈앞의 녹음을 앞서 행했던 모든 연주를 총망라한 것으로 대하기 쉽다. 모든 악상, 영감 가득했던 순간, 만족스러웠던 프레이즈 전환을 한 번에 다 통합하고 못마땅한 개념은 물리쳐야겠다고 생각한다. 물론 실황 연주의 참신함을 결코 가질 수 없는 스튜디오 녹음을 할 때는 이런 축적된 지식과 경험이나마 모조리 가동해야 한다고 볼 수도 있다. 이런 발상에 이의를 제기하기는 어려울 수도 있다. 하지만 이런 태도는 녹음을 진부하게 만든다. 그런 녹음은 재활용품의 수준으로 떨어진다. 무엇보다 앞선 연주의 감흥을 재현하려고 해 봤자 그것은 더 이상 존재하지 않는다(위대한 이탈리아 피아니스트 겸 작곡가 페루초 부조니는 음악을 '듣기 좋게 울리는 공기sonorous air'라고 했다. 찰나의 속성을 표현한 것이다).

더 중요한 점은 그러한 시도에 필연적으로 따르는 결과다. 뭔가를 그대로 재현하려고 필사적으로 노력할수록, 창조적인 순간을 마주하기는 그만큼 어려워진다. 녹음은 특정한 순간에 음악작품과 맺은 관계를 포착한 스냅사진에 불과하다는 상투적인 문구도 그 점을 가리키고 있다. 앞선 순간을 고스란히 담아내려는 시도는 결국에는 창백한 모방으로 들릴 뿐이다. 주술적으로 훔쳐본 미래를 그대로 실행시키려 하면 실패하게 되어 있다. 오직 순간만이 가질 수 있는 역동성을 ― 그 순간 실재하는, 혹은 그렇다고 느껴지는 본인의 역량, 목표, 결점을 ― 완전하게 받아들여야 한다. 그런 역동적인 순간들로 채워진 연주는 **미래**의 한 순간에 속할 만한 자격을 얻는다.

　이 관점을 받아들이려면 상당한 믿음의 도약이 필요하다. 긴장되는 녹음 스튜디오의 분위기 속에서 이런 믿음을 가지려면 고통이 따를 수도 있다. 대신에 몇 가지의 부가적인 혜택도 얻을 수 있다. 녹음이 영원토록 남게 된다는 점에 신경을 덜 쓰고 현재의 순간에 더 많이 머무는 법을 터득하면, 과거 자신이 그 곡을 연주했던 경험에 사로잡히는 일이 줄어든다. 또한 이제까지 그 곡을 **녹음한** 모든 음반들이 훨씬 덜 위협적으로 느껴진다. 음악가들은 녹음을 할 때 과거 거장들의 연주에 신경을 쓰지 않는다고, 특히 자신과 비교하지 않는다고 말하곤 한다. 이상적인 세계에서라면 확실히 그럴 수 있겠지만, **사람들**과 더불어 살아가고 필연적으로 서로 영향을 주고받는 실제 세계에서도 그럴 수 있을까? 녹음하려는 곡이 베토벤의 소나타라면 자신의 연주를 과거의 녹음된 연주와 굳이 비교하지 않아도, 음악을 제대로 하고 싶다는 욕망만으로도 충분히 버거운 것이 사실이다.

음악의 가장 근본적인 진실은, 대단히 학술적인 경우를 예외로 하면 누군가 연주하기 전까지는 곡이 존재하지 않는다는 것이다. 내가 예컨대 〈고별〉 소나타라는 명곡에 누를 끼치지 않도록 연주하겠다고 말할 때, 나는 그 곡에 대한 나의 상상에 부응하도록 연주하겠다고 말하는 것이다. 그리고 그 상상은 이미 슈나벨과 제르킨(그리고 리처드 구드, 안톤 쿠에르티, 그 외의 많은 연주자들)과 불가분의 관계로 엮여 있다.[h] 그러므로 그들의 연주에 대해 내가 무관심하다고 주장할 수는 없다. 내가 그 곡을 **알도록** 이끌어준 것은 바로 그들의 연주였기 때문이다.

이런 관점에서 보면, 녹음의 목표는 그 순간의 정직한 재현 이상도 이하도 아니어야 한다는 말은 상당한 위안을 준다. 물론 실수는, **유일무이한** 실수는 기꺼이 허락된다. 이런 태도를 가진 이들은 어떤 음반의 가치를 다른 녹음들과의 비교를 통해 매기지 않는다. 그들은 음반의 가치가 연주자와 곡의 관계가 얼마나 정확하게 — 정직하게 — 담겼는가에 달려 있다고 생각하기 때문이다. 음반 수집가들은 같은 작품을 연주한 여러 음반들을 들으며 각 음반이 지닌 상대적인 장점을 따지는 일을 좋아할 수도 있겠지만, 나는 **궁극의** 연주를 찾기 위해 이미 소장 중인 곡의 새 음반을 계속해서 구입하는 사람이 있다고는 믿지 않는다. 정말로 위대한, 시간을 초월할 만큼 위대한 음악이라면 음악가들은 계속해서 거기에 매달릴 것이며, 그러한 분투의 결과물인 음반record은 지금 우리의 문화와 영속적인 음악 사이의 관계를 담은 역사적 기록record이 된다.

이렇게 보니 앞서 내가 한 말을 조금 바꿀 필요가 있겠다. 녹음 과정을 그 순간의 발현으로 여기는 태도는 일종의 타협 혹은 위축이라기보다는 아름다운 결정이라고 말이다. 이미 말했듯이 나는 녹음에 대해 양가적인 감정을 갖고 있지만, 여러 연주자들이 베토벤에 영원토록 매달린 결과물이 이제 100년 가까이 쌓여오고 있다는 사실이 얼마나 고마운지 모른다. 내가 그의 음악과 씨름하며 내 삶의 중요한 부분으로 삼은 지도 이제 20년이 다 되었는데, 작게나마 나도 그런 결과물의 일부가 되리라 생각하면 두렵기보다는 크나큰 감동이 밀려온다.

내 태도가 이렇게 바뀌면서 베토벤 소나타와 그것을 녹음하는 일을 더 이상 두려워하지 않게 되었다고 말하면 오해를 살 수도 있다. 그러나 그런 두려움은 이제 더 이상 나를 옥죄지 않는다. 사실 그동안 나를 제약했던 것은 두려움 자체가 아니라 내가 두려움에 반응한 방식이었는지도 모른다. 베토벤 연주는 어떠해야 한다는 기대감을 스스로에게 부여할수록, 나와 베토벤 음악의 관계가 자연스럽게 펼쳐지기는 그만큼 어려워졌던 것이다.

플라이셔가 열일곱인가 열여덟 살일 때, 그의 연주를 들은 소감이 어떠냐는 질문을 받은 슈나벨은 감동적이면서도 통찰력 있는 대답을 했다. "그가 가진 재능의 유형은 그렇게 흔한 것이 아니다. 그는 상상력과 용기를 갖고 있다. 이런저런 것을 시도해보고 실패의 위험을 감수할 줄 안다. 오늘날에는 이런 성격이 꽤나 드문 편이다. 안전함을 추구하는 과정에서 용기가 억눌리기 때문이다."[14] 내가 이렇게 다소 감당하기 어려운 프로젝트를 시작하려는 지금, 슈나벨이 유감스럽게 토로한 마지막 문장은 내가 가장 피하고 싶어 하는 모습을 간결하게 일깨워준다. 내가 베토벤의 소나타를 녹음하면서 가장 바라는 바는 용기를 추구하고, 안전하려는 마음을 억누르는 것이다.

* * *

베토벤의 소나타 가운데 몇 곡은 지금까지 15년 넘게 연주해 왔다. 벌써 오래전부터 이 작품들을 통해 베토벤과의 관계를 상당히 진화시켜 온 것이다. 나는 이러한 관계의 진화가 앞으로도 계속 이어지기를 바란다. 내가 각각의 소나타를 대하는 방식은 조금씩 다르다. 예를 들어 〈열정〉은 열세 살에 처음 배운 이후로 2~3년 동안 한 번도 연주하지 않고 넘어간 적이 거의 없었다. 반면에 작품번호 26, 일명 〈장송 행진곡〉은 열 살에 처음 접하고 나서 작년에 전집의 첫 음반 녹음에 넣으려고 준비하기까지 거의 연주해본 적이 없었다. 하지만 두 경우 모두 내가 곡을 인식하는 방법에 놀랍고도 유익한 변화를 끼쳤다.

〈열정〉 소나타는 내가 배웠던 것들을 똑똑히 기억하는 첫 작품이다. 무척이나 연주하고 싶어서 선생님에게 제발 치게 해달라고 **애원했던** 것이 생각나는데, 당시 선생님은 아마도 내가 치기에는 너무도 어려운 곡이라고 여기셨는지 가르쳐줄 계획이 없었다.[i] 그토록 어려운 작품이지만 또한 내가 너무도 좋아한 작품이어서, 그리고 반항적이어서라기보다는 일종의 자립 선언의 의미로 배우겠다고 결심한 것이어서, 나는 어떤 작품보다도 더 맹렬하게 〈열정〉을 향해 뛰어들었다. 아홉 살 때부터 나를 매료시킨 이 작품은 확연하게 드러나는 강렬하고 단순한 감정을 통해 내 마음을 사로잡은 것이 틀림없었다. 당시 그 곡이나 거기서 느낀 감정을 '분노'나 '필사적인' 같은 말로 표현했는지는 잘 기억나지 않지만, 그 곡이 내게 미친 효과는 그런 표현에 꼭 맞는다. 특히 마지막 악장 코다의 인상이 어떠했고 거기에 내가 어떻게 반응했는지 내 기억에 생생하고 선명하게 남아 있다. 고삐를 살짝만 죄었음에도 처음부터 대단히 긴장감 있게 몰아치던 주요 주제는 코다에 이르러 속도가 더 빨라지고, 곡은 결말을 향해 광폭하게 내달린다. 당시에도 나는 지옥에 떨어지는 것을 음악으로 표현한다면 이렇겠구나 하고 생각했다. 내가 감지한 '위험'은 열광적으로 나를 흥분시켰다.

〈열정〉을 배운 그해와 이듬해에 걸쳐 나는 여러 차례 그 곡을 연주했고, 그 뒤로는 스무 살이 되어서야 다시 연주했다. 커티스 음악원에서 보낸 마지막 해였다. 〈열정〉의 연주에서 가장 오랜 공백이었다. 음악원에서 연주했을 때, 나는 과거에 느껴보지 못한 전혀 새로운 면모를 발견하고 이 곡에 다시 매료되었다. 처음에 〈열정〉에서 매력을 느낀 부분은 거의 대부분 다급하게 몰아치는 대목이었다. 그러나 이제는 작품을 빚어내는 비범한 엄격함과 절제력이 나를 사로잡았다. 특히 나를 놀라게 한 것은 1악장의 발전과정이었다. 거의 미니멀리즘이라 해도 좋을 만큼 극히 소박한 재료로부터 출발해 거대한 음악적 캔버스가 구축되고 있었다. 단순한 부점 리듬과 분산 화음, 두드리는 듯한 네 개 음의 모티프 등이 바로 그러한 소박한 재료인데,

무표정한 제1주제나 훨씬 더 푸근한 제2주제 모두가 전부 같은 재료로 만들어졌다. 특히 '문을 네 번 두드리는' 모티프는 베토벤이 당시 함께 작곡 중이던 교향곡 5번의 개시부를 연상시킨다. 악장을 여는 이 모티프는 모골이 송연한 화성 진행의 정점으로, 이후에도 결정적인 시점이 되면 항상 등장한다. 이 악장의 팽팽한 긴장감과 가차 없는 단호함은 이런 단순한 재료의 극단적인 담백함에서 나온다. 그런 성긴 재료가 그토록 거대한 구조를 이루는 기본 토대가 된다는 것이 믿기지 않을 정도다.

5년의 공백 뒤에 이 곡으로 다시 돌아왔을 때 나는 이런 새로운 발견에 흥분했고, 아울러 내가 전에는 이런 요소들을 모른 채 연주했다는 사실에 조금 놀라기까지 했다. 수업 시간에 처음으로 〈열정〉을 들고 갔을 때 선생님이 내 연주를 듣고는 '초고' 같다고 말했었는데, 처음으로 그 말이 무슨 뜻인지 이해됐다. 내가 곡에서 느낀 거친 감정에 제대로 된 틀이 부여되지 않았다는 뜻이었다. 요컨대 전경만 부각되고 배경은 없는 연주였던 셈이다.

이것은 흔히 벌어지는 일이다. 음악적 재능이 탁월한 아이도 맨 처음부터 수준 높은 정교함을 지니지는 못한다. 그들이 두각을 나타내는 부분은 음악에 대한 순수하고 원초적인 사랑과 그것을 전달할 줄 아는 능력이다. **그런 뒤**

에야 사고가 들어선다. 음악에 대한 본능적 반응이 지식을 통해 맥락을 부여받으면, 때로는 아이의 연주를 처음에 그토록 매력적으로 만들었던 특징이 다소간 가려지기도 한다. 하지만 시간이 흘러 음악적 발달이 건강하게 자리를 잡으면, 그는 지식에 완전히 눌리지 않고 '살짝 걸쳐 있는' 법을 익히게 된다. 처음에는 마음과 본능으로 마치 껴안는 듯이 음악과의 관계를 시작했다면, 이제는 그 최초의 관계 속에 지식을 통합하는 법을 배우는 것이다. 이 같은 변화는 반드시 거쳐야 하는 과정이며 결코 부정적이지 않다. 음악에 대해 글을 쓰는 사람들은 흔히 감정적인 음악 작업과 지적인 음악 작업을 자주 나누곤 하는데, 그러한 이분법은 잘못된 생각이다. 곡에 대한 감정적인 반응이 먼저 일어나게 마련이지만, 이 감정적 차원이 보다 깊어지려면 곡을 탄생시킨 세상에 대해 더 많이 이해해야 한다. 하지만 몇 년의 공백을 거쳐 〈열정〉 소나타로 돌아온 나는 전에는 알아채지 못했던 작품의 엄정한 토대를 발견하고는 어려움을 느꼈다. 새로 이해하게 된 부분들을 예전의 내 방식과 결합하기란 결코 쉬운 일이 아니었다.

격정적 에너지 외에 열세 살의 내게 가장 두드러져 보였던 〈열정〉의 특징은 어렵다는 것이었다. 그 곡을 연주하기 위해서는 내가 가진 신체의 힘을 모조리 짜내야 했다. 곡을 연주할 때 여유분의 기력이 남아 있으면 분명 유리한 면이 있지만, 모든 힘을 쏟아야 하는 상황도 나쁘지만은 않다. 우리의 음악 문화는 초절기교virtuosity에 유독 큰 가치를 부여한다. 사실 기교의 핵심적인 측면은 **수월성**ease 이다. 다시 말해 까다롭게 들릴 수밖에 없는 음악을 연주할 때 수반되는 노력을 감출 줄 아는 능력이다. 하지만 우리의 현실에서는 귀에 들려오는 기술적인 어려움을 표현 대상의 일부로 삼는 음악들이 수없이 많으며, 무엇보다 베토벤의 음악 또한 그러하다. 베토벤의 음악은 무척 아름다운 부분이 많으면서도 거의 항상 거친 요소를 갖고 있는데, 이는 곡의 주된 재료들을 음악적 진행 및 흐름 안에 배치하는 방식에서 나온다. 모차르트는 주제의 모든 표현적 가능성을 순전히 직관적으로 파악하는 듯하지만, 베토벤은 주제의 양쪽 귀를 움켜잡은 채 이리저리 뒤흔든다. 필요하면 방 저쪽으로 집어던지기도 한다. 그는 음악 구조를 작동시키는 데 수반되는 어려움을 굳이 감추려 하지 않으며, 그렇기에 그것을 **연주**하는 데 따르는 어려움 역시 결코 감추려 해서는 안 된다. 피와 땀과 눈물이 흐른다는 느낌이 없으면 그 연주는 결코 베토벤 연주로 들리지 않을 것이다.

이십대 초반 〈열정〉에 세 번째로 빠져들었을 때, 나

는 이 곡이 기술적으로는 더 이상 예전만큼 어렵지 않게 되었음을 알아차렸는데, 이런 느낌이 썩 마음에 들지는 않았다. 음악가들이 십대 시절에 그토록 연습에 매진하는 이유는 이 무렵에 근육 기억을 발달시키기가 무척 쉽기 때문이다. 때를 놓치면 훨씬 어려워진다. 10년 전에 〈열정〉은 내 능력이 가닿을 수 있는 절대적인 한계치에 해당했고, 그만큼 많은 연습이 필요했다. 그렇게 10년간 노력하며 근력을 기르고 피아니스트로서 경험을 쌓자 이제 〈열정〉은 내 몸에 각인되다시피 했다. 한밤중에 나를 깨워서 비몽사몽간에 연주를 시켜도 내 손가락은 아무런 마음의 준비 없이 그 곡을 쳐낼 수 있을 것이다. 그러나 나는 나와 작품의 관계 속에 이렇게 수동적인 요소가 새로 더해졌다는 게 곤혹스러웠고, 그만큼 전보다 더 맹렬하게 작품에 덤벼들었다. 그러자 작품의 근본을 이루어야 할 격정이 억지로 강요된 것처럼 느껴졌다. 그래서 나는 다시 본능적인 반향이 느껴지기 전에는 이 곡을 연주하지 말아야겠다고 다짐했다.

하지만 내가 그 곡에 새롭게 반응할 날이 그렇게 빨리 올 줄은 미처 몰랐다. 그때 나는 스물여섯 살이었고, 나를 위해 작곡된 현대음악을 준비하느라 한창 바쁠 때였다. 워낙 복잡하게 꼬여 있는 곡이어서 악보를 한참 들여다봐도 이해되지 않았고, 아무리 반복해서 쳐도 손에 익지 않았다. 이런 식의 작업은 엄청난 좌절감을 안겨줄 수 있기에 나는 매일 그 곡의 연습을 끝내고 나면 (비록 손가락의 즐거움에 불과할지라도) 재밌는 곡을 연습하면서 — 혹은 그냥 연주하면서 — 기운을 차렸다. 그러던 어느 날 나는 〈열정〉을 연주하기로 했다.

그때는 그저 골치 아픈 상황에서 벗어나 잠깐 위안을 받기에 딱 어울리는 '일회성 선곡'이라고만 생각했지, 내가 새롭게 〈열정〉 소나타에 매료되리라고는 전혀 예상치 못했다. 그야말로 전력을 다해 현대 곡에 집중하고 있었던 상황이 나를 그 곡으로 돌아가게 했는지, 아니면 당시 내 작업의 전반적인 방향이 〈열정〉을 향하고 있었던 것인지는 잘 모르겠다. 아무튼 〈열정〉은 갑자기 전에 내가 알았던 것보다 훨씬 풍성한 뉘앙스를 가진 곡으로 다가왔다. 물론, 여전히, 〈열정〉은 가차 없이 몰아치는 곡이었다. 이 점만큼은 처음에 호르몬의 영향에 휩쓸려 본능적으로 들었을 때나 나중에 보다 논리적인 관점으로 들었을 때나 별 차이가 없었다. 하지만 이제 이 곡은 표현의 다양성보다는 음악적 전개의 밀도와 강도로 나를 사로잡았다. 또한 나지막이 끓어오르는 순간들이 새로 보였다. 살짝 체념한 듯한 우울한 성격이 드러나고, 폭발을 앞두고 숨을 고르는 듯한 내향적인 순간들이 눈에 들어왔다.

이러한 새로운 통찰은 흥미로웠지만 한편으로는 또 다른 문제를 안겼다. 10년 넘게 〈열정〉을 연주하면서 내가 일관성 있게 유지해 온 관점은 곡이 단절되지 않는 궤적을 가진다는 감각적 이해에 기반을 두고 있었다. 하지만 이제 나는 곡의 중심에 있는 강렬함을 잃지 않으면서도 유연하고도 가변적인 감흥을 덧입힐 방법을 찾아야 했다. 만만치 않은 도전임을 곧바로 알 수 있었다. 아이러니하게도 그 때문에 전보다 더 이 곡에 애착이 생겼다. 나는 슈나벨이 말한 '위대한 음악의 유연함'을 오래전부터 인정했지만, 누구보다 내가 잘 **안다고** 생각했던 곡의 맥락에서 그것을 실제로 경험하게 되자 한없이 흥분했다. 그저 내가 항상 좋아했던 곡을 재발견하는 문제가 아니었다. 악보를 펼치고 페이지를 살피는 내내 계속해서 무엇인가를 새롭게 발견하게 되리라는 깨달음이었다. 이런 깨달음은 나를 그 곡에서 벗어나지 못하게 만들었다.

소나타 12번(작품번호 26)이 안겨준 교훈은 다르다.[j] 이 곡을 처음 배울 때 나는 너무 어렸다. 그때까지 베토벤을 연주한 경험이 사실상 없었기 때문에, 고작 열 살이었던 내가 무엇을 보았고 무엇을 놓쳤는지 회고하는 것은 적절치 않아 보인다. 하지만 당시 그 곡을 치면서 아름다움에 휘감기는 기분이 들었던 기억은 뚜렷이 남아 있다. 지금 생각은 조금 다르다. 여전히 아름답기는 하지만 살짝 흥한 데가 있고, 그 어색한 측면이 이 곡의 성격에 중요한 영향을 미친다고 본다.

이 소나타는 1801년에 완성되었다. 대부분의 음악학자들은 베토벤의 중기 양식의 시작점을 이보다 몇 년 뒤로 보지만, 베토벤은 이 곡을 작곡하던 무렵에 이미 소나타의 구조를 강도 높게 실험하는 시기에 접어들었다.[15] 소나타 12번을 작곡하던 시기에 베토벤은 〈환상곡풍〉이라는 이름이 붙은 소나타 두 곡(13, 14번, 작품번호 27)도 작곡했다. 한 곡은 악장과 악장이 분리되지 않고 계속 이어지며, 〈월광〉이라는 적절치 못한 이름으로 불리는 다른 한 곡은 무척 혁신적이게도 유령이 나올 것처럼 스산하게 가라앉은 명상으로 시작한다. 이 두 곡은 베토벤이 그때까지 작곡했던 어떤 곡보다도 전통적인 소나타 형식과 거리가 멀다. 고전주의의 전형적인 양식을 따르지 않는 것이다. 12번도 마찬가지로 앞서 작곡된 열세 곡의 소나타 모델에 거의 매달리지 않는다. 곡은 시작부터 소나타 형식을 피해 간다. 느긋한 템포의 변주곡이 전반적으로 평온하게 진행되지만, 베토벤은 갑작스런 강세나 생뚱맞아 보이는 셈여림으로 이 같은 분위기를 교란시킨다. 한시도 가만있지 못하는 사람처럼 베토벤은 아름다움을 그냥 내버려두지 않는다.

더욱이 이 소나타에서 그는 균형미 따위는 내던져버리는 것처럼 보인다. 각 악장 간의 상대적인 길이도 그렇거니와, 보통과 달리 급박하지 않은 1악장 및 3악장에다 극히 간결한 2악장과 4악장을 이어 붙임으로써 마치 서로 다른 물체를 반으로 자른 뒤 다시 그 절반을 각각 바꿔 붙여놓은 듯한 인상을 준다. 그러나 베토벤의 내면에서 이러한 단순한 아름다움과 완고한 개성은 어떻게든 서로 공존한다. 그러므로 열 살짜리 소년이 작품에서 하나만 보고 다른 것은 보지 못했어도 그리 이상한 일은 아니다.

내가 12번 소나타로 다시 돌아온 것은 20년 만의 일이었다. 나는 녹음을 앞두고 앞서 설명한 곡의 독특한 성격을 어떻게 처리할까 고민하며 꼬박 1년을 보냈고, 녹음 날짜가 다가오자 만족스러운 해결책을 찾았다고 느꼈다. 녹음은 **항상** 어렵지만, 그날은 특별히 다른 때보다 더 어렵지는 않았다. 나는 불안해하지 않고 첫 편집본이 나오기를 기다렸다.

녹음하고 한 달 뒤에 편집본을 처음 들을 수 있었다. 특별히 놀라운 점은 없었다. 녹음 경험이 늘어나면서 녹음의 결과물은 내가 예상했던 바와 점점 더 맞아떨어져 가고 있었다. 실제로 연주한 소리와 그것을 **이상적으로 다듬은 것** 사이에 필연적인 간극이 생겨나기 마련이어서 결과물이 예상에 가까우면 적잖이 위로가 된다. 예기치 못했던 불만은 몇몇 자잘한 부분 정도였고, 사용되지 않은 다른 음원을 잘라다 붙이면 쉽게 해결할 수 있겠다고 생각했다. 일례로 첫 악장에는 앞의 변주에서 계속 나왔던 불협화음이 마지막 변주에 이르러 더 신랄하게 튀어나와 더 뭉클하게 와 닿는 대목이 있다. 편집본에서는 이 불협화음이 눈에 띄지 않게 흘러갔다. 그래서 강렬해야 할 악구가 무시되었다는 느낌이 들었다. 나는 이 구간에서 내가 무엇을 원했는지 — 그리고 얻지 못했는지 — 를 확실히 알았고, 기술적으로도 이를 처리하기는 쉬웠다. 나는 프로듀서가 선택한 음원에서 내가 연주한 방식은 원래 하던 방식이 아니며, 만족스럽게 연주한 다른 음원(나는 그 악장을 총 다섯 차례 연주했다)이 있으리라 믿어 의심치 않았다.

그러나 스튜디오에 들어가서 다른 테이크를 차례로 들어보니 확연한 차이가 없었다. 모든 연주는 무리 없이 돌아갔다. 때로는 더 역동적이고 리듬감 있게, 때로는 덜 역동적으로 연주했지만, 내가 명백히 이 악구의 핵심 사항이라고 생각했던 불협화음을 의식한 연주는 없었다. 충격이었다. 어쩌면 이 부분은 정말 중요한 사항이 아닐 수도 있겠지만, 편집본을 처음 들었을 때(녹음 작업의 첫 산물을 객관적으로 대하기가 얼마나 어려운지 알기에 가급적이면 힘을 빼고 들으려고 애썼다) 이 문제는 곧바로 내 귀에 들어왔다. 곡의 구상에서 그토록 중요한 대목이고 그것을 실행하는 데 장애가 될 만한 점도 없었다면, 어떻게 나는 매번 그 특징을 놓칠 수가 있었다는 말인가?

이 일화는 내가 녹음 작업을 할 때마다 매번 겪었던 현상을 다소 극단적으로, 한편으로는 대단히 지엽적으로 보여준 예라고 생각한다. 녹음 과정에 들어서면 모든 힘을 다해 집중해야 한다는 압박을 느끼면서 곡의 구상을 명확하게 잡게 된다. 하지만 음악회에서는 청중을 '설득'할 수 있는 여타의 수단이 많고, 그 설득 과정은 대부분 화학적chemical이기보다는 연금술적alchemical이어서 말로 설명하기가 거의 불가능하다(단적으로 말해, 음악회의 분위기는 항상 달아올라 있어서 무대에 서는 연주자는 이런 분위기를 이해하고, 음악에 새로운 차원을 더하기 위해 그 분위기를 사용하기 마련이다). 분명히 말할 수 있다. 녹음은 연금술이 **아니다.** 그래서 연주자의 모든 에너지는 음악을 가급적 악보의 모습 그대로 — 보다 긍정적으로 말하자면 **순수하게** — 만드는 데 사용된다. 곡에 대해 내가 느끼는 바를 이렇게 최대한 직접적이고 확연한 방식으로 전달하고

자 노력하다 보면 예외 없이 곡을 더 냉철하게 이해하게 된다. 그런데 불행히도 이런 냉철한 이해는 녹음이 **끝나고 나서야** 얻어진다. 몹시 짜증나는 딜레마가 아닐 수 없다. 녹음을 마치고 나면 항상 좀 더 잘할 수도 있었음을 알게 되지만, 그 깨달음은 **녹음 과정을 이미 거쳤기** 때문에 얻어진 것이다.

내가 이 거대한 베토벤 녹음 프로젝트를 하기로 마음 먹으면서 인정해야 했던 사실이 하나 있다. 녹음을 마치자 마자 스튜디오로 다시 돌아가 그 과정에서 내가 배운 것들을 통합해서 다시 녹음하고 싶었다는 것이다. 나는 그 심경을, 좌절을 받아들여야 했다. 그리고 그러한 수긍은 곧 내가 이 곡들을 언제 (혹은 얼마나 많이) 녹음하든 늘 똑같은 심경에 처할 것임을 깨닫는다는 뜻이었다. 난제가 결코 사라지지 않는다면 기다린다고 해결되는 일은 아니다. 하지만 첫 편집본을 처음으로 듣기 시작하고 몇 분 지나지 않아 이런 좌절감이 왜 일어나는지를 알려주는 생생한 증거를 보게 되자 조금 불안해졌다. 나는 녹음을 하면서 내가 배웠던 것들이 모두 음반 **속에서도** 들리기를 바랐지만, 다양한 음원들을 섞어놓은 결과물에 이런 교훈이 반영되기란 불가능하다. 이후로 전곡 녹음을 진행하면서 소나타 12번의 불협화음은 어떤 상징이 되어갔다. 그것은 내가 이 곡들을 이해함에 있어 얼마나 많이 나아갔는지 보여주는 상징이었고, 동시에 앞으로 갈 길이 얼마나 더 많이 남았는지 보여주는 상징이었다. 베토벤의 소나타에 계속 몰입하는 동안 내게 동기와 영감을 불어넣은 것은 무엇보다 이렇게 계속되는 발견이었다.

* * *

그리고 몰입이라는 숙제가 있다. 베토벤 음악 자체의 엄청난 복잡함, 녹음 과정에서 지속적으로 제기되는 가치에 대한 물음과 더불어 몰입의 문제는 베토벤 소나타 서른두 곡 녹음이라는 기나긴 도전에 나설 때 반드시 고려해야 하는 중요한 사안이다. 나는 이 프로젝트의 총 진행 기한을 9년 가까이로 잡고 있다. 프로젝트의 연속성을 해치지 않으면서 내가 할 수 있는 최대로 늘린 것이다. 그 과정은 실로 몰입의 연속이라고 할 만하다. 작년에 나는 5번, 11번, 12번, 그리고 26번 〈고별〉이 수록되는 첫 CD의 녹음을 강도 높게 준비했다. 이어 다음으로 예정된 두 번째 CD에 들어갈, 아직 연주해본 적이 없는 소나타 세 곡(14번 〈월광〉, 21번 〈발트슈타인〉, 16번)을 준비하느라 많은 시간을 보냈다. 〈함머클라비어〉는 아직 녹음까지 5년이 남았지만, 워낙 방대한 데다 나로서는 깊이를 가늠

하기 어려울 정도로 심오한 곡이어서 지금부터 준비를 시작해야 한다고 느낀다. 또한 녹음과는 무관하지만 무대에서 연주하기로 예정된 베토벤의 작품들도 있었다. 피아노 소나타 세 곡, 바이올린과 피아노를 위한 소나타 열 곡, 피아노 협주곡 세 곡(2번, 3번, 5번), 바가텔 작품번호 126이었다. 작년에 내가 베토벤을 연습하지 않고 지나간 날은 하루도 없었고, 연습 시간의 대부분을 베토벤이 차지했다.

　어떤 작곡가의 작품에 몰입하기로 결정할 때 필연적으로 따르는 문제가 있다. 피아노 레퍼토리는 워낙 방대하고 오랜 세월과 여러 나라와 다양한 작곡 양식에 걸쳐 있어서, 아무리 부지런하거나 재능이 출중한 피아니스트라 해도 평생 모든 음악을 다 소화할 수는 없다는 것이다. 따라서 피아니스트가 된다는 것은 까다로운 결정을 내려야 한다는 뜻이기도 하다. 오랜 시간 동안 열렬히 한 작곡가에 집중하면 다른 중요한 작곡가들은 소홀히 할 수밖에 없다. 나는 베토벤에 몰입하는 동안 오랫동안 나와 각별한 관계였던 다른 작곡가들, 예컨대 모차르트, 슈베르트, 슈만의 피아노곡을 그만큼 덜 연주하게 될 것이다. 내 삶을 풍요롭게 살찌웠던 이런 음악들을 소홀히 하게 되리라고 생각하자 상실감이 밀려온다. 내가 항상 좋아했고 지난 몇 년 사이에 더 잘 이해할 수 있었다고 느낀 하이든, 브람스,

야나체크에 몰입할 시간도 줄어들 것이다. 다른 곳에 몰입하느라 이런 진전에 제동이 걸릴 수도 있다고 생각하면 썩 유쾌하지는 않다.

또한 한동안 나는 매년 새롭게 작곡된 신곡을 최소한 한 곡은 익히려고 노력해 왔다. 이것은 원칙의 문제이자 — 자신이 오늘의 삶을 바치고 있는 예술 형식이 그저 과거의 것에 불과하다고 믿고 싶은 사람이 누가 있겠는가? — 나의 음악적 발달에 직결되는 문제이기도 하다. 살아 있는 작곡가와 함께 작업하며 창조적 과정을 나누는 일은 옛 거장들의 음악을 다룰 때와는 완전히 다른 가르침을 안겨준다(세상을 떠난 거장들과는 그와 같은 교류가 불가능하기 때문에 연주자 홀로 음악적 해결책을 찾아야 한다). 하지만 새로운 음악을 배우는 것은 새로운 언어를 배우는 것처럼 고된 일이며, 그만큼 많은 **시간**이 걸린다. 서른두 곡의 베토벤 소나타를 녹음해야 하는 내게 가장 부족한 것이 바로 시간이다.

따라서 어느 정도 타협이 따르기 마련이다. 아직 배우지 못한 소나타를 익히기 위한 시간을 충분히 갖도록 일정을 넉넉하게 짬으로써 다른 음악을 **모두** 제쳐두는 일이 없게끔 미리 계획해 두더라도 말이다. 하지만 베토벤을 향한 전적인 몰입은 다른 작곡가에게 할애할 시간이 많지 않다는 것 외에 다른 문제도 제기한다. **나 자신에게** 할애할 시간은 과연 남아 있을까?

* * *

　베토벤의 음악적 성격 중에 가장 독특하고 매혹적인 면은 역시 그의 의지력과 강직함일 것이다. 몇 년 전에 이를 실감할 기회가 있었다. 어쩌다 보니 모차르트의 피아노 협주곡과 베토벤의 곡으로만 이루어진 리사이틀을 이틀 연속으로 갖게 되었다. 모차르트의 협주곡은 내가 오랫동안 연주해왔고 가장 좋아하는 작품 가운데 하나인 21번 C장조 KV 467이었다.ᵏ 가장 숭고한 순간이 2악장 서두에 나온다. 오페라 〈피가로의 결혼〉의 백작부인이 불러도 좋을 법한 피아노용 콘서트 아리아다. 우아하면서도 안타깝고 마음을 저미는 이 주제는 의문을 표하는 짧은 두 악구의 방해를 받는다.

　첫 번째 악구는 불안을 담은 음을 주입하고, 두 번째 악구는 음악을 확연히 고통에 시달리게 한다. 장조는 단조로 바뀐다. 슬픔은 더 이상 회상 속의 과거가 아니라 명백한 현재의 고통이 된다. 한 마디 한 마디가 앞으로 나아가려는 화성의 발목을 붙들고, 전개가 이어질수록 그 어둠은 더 깊어간다. 깊은 슬픔을 일으키는 이 대목은 그야말로 모차르트다운 특징을 보여준다. 그는 한 번의 손짓만으로 방금까지 음악의 **결정적 특징**으로 여겨지던 것을 지워버리고, 그만큼 강력한 다른 감정을 그 빈자리에 집어넣는다. 방금까지 일어났던 일들은 어느덧 까마득한 추억이 된다. 피아노 없이 오케스트라만으로 진행되는 이 부분에서는 수많은 사건들이 벌어지지만 연주는 채 1분도 걸리지 않으며, 그 모든 사건들은 앞으로 펼쳐질 무대의 예고편에 불과하다. 피아노 앞에 앉은 나는 이 대목을 들으며 호흡을 가다듬었고, 내가 얼마나 행운아인지 절감했다. 피아노의 첫 음을 연주할 준비를 할 때는 이런 생각이 들었다. 음악가에게는 이런 음악을 연주하는 것보다 더 큰 만족은 세상에 없을 거라고.

하지만 다음 날 베토벤을 연주하면서 모차르트 협주곡은 다른 모든 것과 함께 내 의식 속에서 자취를 감추었다. 연주회 내내 그랬지만, 가장 결정적인 순간은 소나타 15번(작품번호 28) — 흔히 〈전원〉으로 불리지만 베토벤이 붙인 이름이 아니며 내 마음에도 들지 않는다 — 을 연주할 때였다. 첫 악장 발전부에서 음악은 F샤프장조로 들어선다. D장조로 진행되던 악장이 중간에 이런 조로 바뀌는 것은 부적절하다고 할 수는 없겠지만 대단히 이례적이다. 물론 베토벤 전후 세대의 작곡가들은 이미 화성적으로 놀라운 반전을 가진 음악을 작곡한 바 있으므로, 이례적인 화음의 등장이 베토벤의 강직함을 가장 단적으로 보여준다고 할 수는 없다.

하지만 그다음에 벌어지는 일에서는 그 강직함이 명백히 드러난다. 베토벤은 스물여덟 마디에 걸쳐 똑같은 화음을 반복한다. 이 반복구의 첫 몇 마디에서는 아직 화성이 바뀌지 않은 채여서, 앞서 나왔던 모티프의 영향이 아직 남아 있다. 그런데 점차 그 모든 요소들이 사라지고, 마지막에 가면 아무것도 남지 않는다. 선율도 리듬도 없고, 오로지 이 반복되는 화음뿐이다. 낯선 나라에서 온 이 방문객은 고요하고도 집요하게 자리를 지킨다. 스물여덟 번째 마디에 이르면 베토벤은 연주자에게 '이제 아주 조용해진 화음을 무한정 지속시키라'고 한다. 그러면 우리는 더 이상 어떤 익숙함도, 그 익숙함이 안겨주는 평안함도 느끼지 못한다. 그 순수한 반복은 이제까지 우리가 들으며 짐작했던 모든 점을 다시 생각하도록 만든다. **하나의 화음**이 모든 것을 뒤엎는다. 그런 다음 베토벤은 고작 세 악구 만에 우리를 다시 집으로 되돌려놓으며, F샤프장조의 충격은 아무것도 아니었다는 듯 신기루처럼 사라진다.[1] **이것이** 베토벤의 힘이다. 그는 하나의 화음만 있으면 다른 모든 음악 — 모차르트의 C장조 협주곡처럼 심오하면서 세밀한

음악조차도 — 의 기억을 지워버리고 청자를 사로잡을 수
있다.

그때 내가 좀 더 냉철했다면 빼어난 이 두 악절 — 모
차르트의 미니 오페라와 베토벤이 반복시킨 하나의 화
음 — 의 길이가 거의 똑같다는 것을 알아차렸을 것이다.
하나는 놀랍도록 많은 것을 포괄하고, 다른 하나는 의도적
으로 최소한의 것만 담고 있음을 생각하면 신기한 일이다.
그러나 나는 그렇게 냉철하지 못하다. 나는 모차르트와 베
토벤 중 누가 더 위대한 작곡가인지 말할 수 없다. 누가 더
끌리는지도 말하고 싶지 않다. 다만 베토벤이 모차르트를
포함한 다른 어떤 작곡가도 하지 못하는 방식으로 청자를
매료시킨다는 점만큼은 분명하다. 그는 그저 들어주기를
요구한다. 대단히 개인적인 발언을 하는 다른 작곡가의 경
우를 보면 몇 가지 방식을 발견할 수 있다. 수사적 성격의
음악, 어느 정도 객관적인 거리를 두고 작곡한 듯한 음악,
작곡가가 **캐릭터**의 목소리를 빌려 말하는 듯한 연극적인
음악이 있다.

하지만 베토벤의 경우에는 모든 악상이 본인의 진술
로 이루어져 있다. 자신을 표현하고 스스로를 위로하려는,
자신에게 그토록 끔찍한 불만을 안겨준 세상을 새롭게 상
상하려는 화급한 필요성에서 나오는 것이다. 이런 음악을

연주하는 것은 명백히 가슴 뭉클한 경험이지만, 한편으로는 위험하기도 하다. 그토록 위대한 천재와, 그토록 위압적인 개성과, 그토록 지칠 줄 모르고 들어달라고 요구하는 목소리와 오랜 시간 교감하다 보면 과연 자신의 자존감을 제대로 보존할 수 있을까?

이것은 해결할 수 있는 문제가 아니다. 내가 베토벤의 음악에 매달릴수록 거기서 더 많은 것을 발견하게 되겠지만, 그럴수록 그는 **더 거대한 존재가 된다**. 모차르트나 슈베르트, 슈만의 경우에는 내가 그들에게 다가가는 방법을 찾으면 그들 역시 나를 향해 그만큼 다가온다. 요컨대 음악을 이해하면, 비록 완전하지 못한 이해라 할지라도, 작곡가와 내가 공유하는 지점이 만들어진다. 그러면 연주하는 나는 음악을 전한다기보다 음악과 융합된다고 느낀다.

그러나 베토벤은 요지부동이다. 그는 악기의 물리적 한계와 작곡가가 자신들을 배려해야 한다고 생각했던 연주자들의 신체적 한계를 대놓고 무시했다. 이그나츠 슈판치히가 용기를 내서 〈라주모프스키〉 사중주가 연주하기 까다롭다고 불평하자 베토벤은 이렇게 대답했다. "영혼이 내게 말을 거는데 내가 자네의 빌어먹을 바이올린이나 신경 쓰고 있겠나?" 그는 연주자의 자기표현에도 마찬가지로 무관심했을 터다.

베토벤의 상상은 하찮은 인간이 보는 시야를 훨씬 넘어서는 지점에 맞춰져 있다. 그는 우리를 대변하지 않는다. 그의 음악이 선사하는 영광은 우리가 있는 곳보다 훨씬 높은 곳을 바라본다는 데서 온다. 베토벤의 음악이 그리는 세상과 우리가 살아가는 세상 간의 긴장은 항상 확연히 드러나며, 이런 간극에 다리를 놓으려는 노력이 모자라면 중대한 잘못을 저질렀다는 기분이 든다. 모든 위대한 음악을 연주하는 연주자는 항상 스스로가 부여한 기대치의 무게를 느낀다. 하지만 베토벤의 경우 그 기대치는 유난히 무겁다. 그의 소리가 향하고자 하는 유토피아를 실현시키는 것 말고는 아무것도 중요하지 않다는 생각에 짓눌린다. 이런 기대치는 당연하게도 충족될 수 없다. 그래서 해가 갈수록 좌절하고 질책하는 베토벤의 유령이 내 마음속에서 점점 커져만 간다…….

* * *

"내 옆에 선 사람은 멀리서 나는 피리 소리나 목동의 노래를 듣는데 내겐 아무 소리도 들리지 않을 때의 비참한 심정이라니. 그 비참함은 나를 거의 절망에 몰아넣었다. 이런 상황이 조금 더 이어졌다면 내 삶을 끝장냈을 것이다. 그럴 때 나를 붙잡아준 것은 오로지 나의 예술이었

다. 아아, 내 안에 느껴지는 모든 것을 꺼내놓기 전에는 세
상을 떠날 수 없을 것 같기 때문이다······."

위의 문장은 베토벤이 1802년, 그러니까 죽기 25년
전에 자신의 운명을 고통스럽게 받아들이며 쓴 '하일리겐
슈타트 유서'에서 가져온 것이다. 베토벤이 성년의 삶 대
부분을 완전히 듣지 못하는 상태로, 그리고 그 상태를 자
신의 궁극적인 운명으로 감내하며 보냈다고 생각하면 가
슴이 미어진다. 하지만 한편으로는 음악이 지닌 치유의 힘
이 얼마나 대단한지를 상기시키는 사례이기도 하다. 베토
벤은 자기 자신을 예술적으로 표현하려는 욕망 덕분에 청
력 상실에 맞서 꿋꿋하게 버틸 수 있었다고 말한다. 나는
이것이 틀림없다고 믿지만, 우리는 그의 음악에서 자신을
표현하려는 강박을 넘어선 무언가를 듣는다. 바로 그의 음
악이 그 자신에게 제공한 심오한 방식의 치유다. '카바티
나'와 그 감당할 수 없는 연약함이 바로 그것이다. 이것이
그 음악이 존재하는 이유다. 베토벤의 작곡 방식은 거침없
이 몰아치고 불안정하게 꿈틀거리지만 — 맹렬하게 휙 갈
겨 쓴 그의 필체만 봐도 알 수 있다 — 작곡이 아니었다면
그의 삶은 결코 그만큼의 질서와 의미를 얻지 못했을 것
이다.

그의 음악에 도전하는 일도 마찬가지다. 그것은 겁이

나고 미쳐 버릴 정도로 어렵고 이루 말할 수 없이 큰 책임감을 떠맡는 경험이지만, 그 경험을 통해 다른 어떤 작곡가로부터도 얻을 수 없는 메시지와 위안을 얻을 수 있다. 베토벤은 인간을 넘어선 인간이었다. 동시에 그는 지극히, 고통스러우리만치, 누구보다 더 인간적인 인간이었다.

미주

보충 설명 및 출처

1   베토벤에 대한 강박을 설명하고자 하는 문제를 복잡하게 만드
    는 또 하나의 아이러니가 있다. 음악에 대해 글을 쓰고 싶게 만
    드는 특징은 바로 글로 쓰기가 **불가능하다는** 것이다. 음악만큼
    추상적인 예술 형식은 없다. 음악은 가장 강렬한 감정을 일으키
    지만 이런 감정을 글로 묘사하기는 어렵고, 설명하기는 더더욱
    어렵다. 말이나 이미지와 다르게 우리가 소리와 어떻게 관계를
    맺는지는 아직 제대로 이해하고 있지 못하다. 하긴 우리가 음악
    을 다른 방식으로 원하기나 할까? 음악작품에 담긴 감정의 내용
    을 글로 표현하거나 심지어 설명할 수 있다면, 굳이 우리가 음악
    을 연주해야 할 이유가 있을까?

2   내가 권장하는 청취 양식은 아니다. 악보 ─ 기보는 몹시 불완전
    해서 음악작품의 흐릿한 재현에 머문다 ─ 를 갖고 있으면 애석
    하게도 음악을 들으면서 악보를 따라가는 데 치우치기 마련이
    다. 내가 듣는 게 내가 보는 것(본다고 생각하는 것)과 들어맞는
    지 아닌지 따지게 된다. 그렇다고 악보에 표시된 사항이 중요하
    지 않다는 말은 아니다. 실망스럽게도, 악보가 우리에게 말해주
    지 **않는** 부분이 많다. 그럼에도 악보는 우리가 작곡가의 의도를
    이해하는 데 다다를 수 있는 최선의 방편이다. 하지만 악보를 보
    면서 연주를 들으면 위대한 연주가 선사하는 서사적인 감각에
    집중할 수 없다. 악보는 어떤 연주의 결점을 드러낼 수는 있겠지
    만 연주의 마술적 매력을 설명하지는 못한다. 결국 악보보다는
    직관과 통찰, 그리고 무엇보다 자신이 듣고 있는 것에 대한 열린

자세가 필요하다. 하지만 당시 나는 열세 살이었고, 레온 플라이셔의 수업을 들을 때여서 준비를 소홀히 한 것처럼 보이고 싶지 않았다.

3   이것은 베토벤에 관한 중요한 진실 하나를 말해주는 것 같다. 그의 음악 언어는 적어도 스트라빈스키와 쇤베르크가 등장하기 전까지는 다른 어떤 작곡가보다도 지속적인 발전을 거듭했지만, 그의 기본적인 음악적 성격, 그러니까 엄정하면서도 탐색적이고, 속세를 벗어난 듯하면서도 인간적이고, 무엇보다 이상주의적인 성격은 초기 작품에서 이미 자리를 잡은 뒤로 변함없이 이어졌다.

4   슈나벨의 두 인용문은 그가 죽고 몇 달이 지난 1951년 12월 6일, BBC 방송에 출연한 클리퍼드 커즌이 그를 추억하며 소개한 말이다. 나중에 세자르 세르칭어Cesar Saerchinger가 쓴 『슈나벨 전기Artur Schnabel: A Biography』에도 실렸다.

5   아르투르 슈나벨Artur Schnabel, 『나의 삶과 음악My Life and Music』에서 인용.

6   오늘날까지도 이어지고 있는, 악보에 절대적으로 충실한 태도가 연주를 무미건조하게 한다는 생각은 솔직히 당혹스럽다. 아마도 악보에 충실한 연주는 연주자가 자신의 개성을 희생하고 나서야 얻을 수 있는 미덕이라고 생각하기 때문인 듯하다. 이런 추론에는 결정적인 결함이 있다. 문제의 작품 — 베토벤 소나타 — 은 시간을 초월한 걸작이므로, 그 악보는 연주자의 세계와 그 표현 가능성을 확장시킨다는 것이다. 그런 작품의 악보를 면밀히 살핀다 해도 운신의 폭이 좁아지지는 않는다. 그런 악보는 오히려 예술가의 개성을 더 잘 드러낼 수 있는 거대한 캔버스가 된다.

7   2011년 8월 14일자 『뉴욕타임스』에 실린 "비르투오소가 흔해지

고 있다Virtuosos Becoming a Dime a Dozen"라는 기사에서 인용한 것
이다. 말 나온 김에 하자면 나도 그 글에 나온다.

8 『슈나벨 전기』에서 인용.

9 물론 이렇게 전례 없는 창조의 자유가 내가 말했던 음악 작업의
경직성으로 이어졌다는 것은 역설적이다. 어쩌면 이는 우연의
일치가 아니며, 혼돈에서 질서를 찾으려는 필요성을 반영하는
것인지도 모른다. 별도의 에세이 주제로 삼을 만하다.

10 스티븐 레만Stephen Lehman, 마리온 파버Marion Faber, 『루돌프 제
르킨의 삶Rudolf Serkin: A Life』.

11 특히 녹음에 해당되는 말이다. 녹음은 연주자의 불확실성을 두
드러지게 부각시켜서 손쉬운 해결책에 의존하려는 유혹을 부추
긴다. 그래서 나는 녹음 스튜디오에 갈 때면 곡을 한 차례 연습
하고 휴식기를 갖는 패턴을 두 번 반복한다.

12 글렌 굴드가 있기는 하다. 내가 말한 것과 같은 이유는 아니지만
그는 확실히 공연보다 녹음을 더 선호했다. 하지만 이것은 굴드
가 독특한 사람이거나 남들과 반대로 하는 사람임을 보여주는
또 하나의 사례일 뿐이다.

13 고전음악이 아닌 다른 분야의 음악가들은 자신의 곡이나 가까
운 동료들의 곡을 연주하며 많은 시간을 보낸다. 고전음악 연주
자의 관점에서 보자면 부럽고 감탄할 만한 상황이다. 따라서 이
런 연주자들 중 많은 이들이 고전음악 연주자들보다 녹음 작업
에 훨씬 더 큰 비중을 두며, 청중이 부재한 녹음실의 영향을 덜
받는 것은 우연이 아니다.

14 『나의 삶과 음악』.

15 나는 베토벤의 작곡 경력을 세 시기 — 때에 따라서는 네 시
기 — 로 구분하는 것은 지나치게 인위적이라고 생각한다. 베토
벤의 양식은 계속해서 진화해왔고, 그의 음악이 표출하는 성격

은 때로는 작품마다 급격하게 달라지기도 한다. 그처럼 인습을 거부하는 예술가의 음악을 소화하기 쉽게 구분하려는 욕망은 이해할 수 있지만, 그럴 경우 베토벤의 가장 중요한 측면이라고 할 수 있는 부단한 혁신을 제대로 볼 수가 없다.

음반 설명

a 이 연주, 내 일시적인 실성의 기록은 EMI에서 출시된 것으로, 네 곡의 소나타가 수록된 음반의 일부다(수록된 다른 곡들은 작품번호 13, 28, 90). 최근에 내가 오닉스Onyx 레이블에서 시작한, 그리고 이 에세이의 주제이기도 한 전곡 연주의 일부가 아니다. 아르투르 슈나벨이 녹음한 이 곡은 여전히 숨이 멎을 만큼 아름답다. 그 연주는 EMI에서 나온 베토벤 소나타 전집에 들어 있다.

b 초월성으로만 보자면 베그 사중주단Vegh Quartet의 '카바티나' 연주에 견줄 만한 것은 거의 없다. 부다페스트 사중주단이 워싱턴 국회도서관에서 공연한 것이 브리지Bridge 레이블의 음반으로 나와 있는데, 현장에 있었던 누구도 가히 잊지 못하는 순간을 담은 귀중한 기록물이다.

c 전집에 수록된 슈나벨의 연주가 이런 특징을 제대로 보여준다.

d 매혹적인 이 연주는 뮤직 앤드 아츠 프로그램Music & Arts Program 레이블에서 발매한 박스 세트 〈파블로 카살스: 프라드 페스티벌 1집〉에 수록되어 있다(카탈루냐식으로는 파우 카살스로 표기함).

e 이 악장은 오닉스에서 총 아홉 장으로 예정된 나의 베토벤 소나타 전집 가운데 처음으로 나온 CD의 다섯 번째 트랙이다. 리처드 구드의 연주는 내가 각별히 좋아하는 것이다. 그의 모든 베토

벤 음반은 논서치Nonesuch 레이블에서 발매되었다.

f 문제의 음반은 소니에서 발매된 것이지만(작품번호 59-3과 〈하프〉가 함께 수록되어 있다), 앞서 언급한 워싱턴 국회도서관 연주가 장대하다.

g 베토벤 곡과 슈베르트 곡 모두 리처드 구드의 연주가 뛰어나다. 둘 다 논서치에서 음반으로 나와 있으며, 유사성이 워낙 두드러져서 연이어 들으면 매혹적이다.

h 하나같이 내게 무척이나 친숙한 음반들이지만 연속해서 듣지는 않는다. 청취 경험을 일종의 경쟁으로 만들어 감흥을 줄이고 싶지 않기 때문이다. 슈나벨이 녹음한 소나타는 EMI에서 발매되었고, 리처드 구드의 음반은 논서치에서 나왔다. 제르킨의 〈고별〉은 여러 컴필레이션 음반으로 들을 수 있다. 쿠에르티의 소나타 전집은 아날렉타Analekta 레이블에서 나왔다.

i 〈열정〉은 내가 처음으로 녹음한 곡이기도 하며 EMI에서 나온 〈베토벤/슈만 피아노곡〉 음반에 수록되어 있다. 내가 음악가가 되는 데 아마도 가장 큰 영향을 미쳤을 제르킨의 연주는 〈비창〉, 〈월광〉과 함께 〈위대한 연주〉 시리즈로 나와 있다.

j 이 교훈의 결과는 오닉스에서 나온 음반에서 들을 수 있다. 가장 많은 교훈이 반영된 첫 악장은 CD의 여덟 번째 트랙이다. 이 곡 역시 슈나벨과 구드의 연주가 나무랄 데 없고 무척이나 아름답다.

k 디누 리파티가 카라얀/루체른 페스티벌 오케스트라와 함께 연주한 것을 처음으로 접했고, 지금도 내가 좋아하는 연주다. EMI에서 마찬가지로 아름다운 슈만의 협주곡과 묶어서 음반으로 나왔다. 내가 훌륭한 오르페우스 체임버 오케스트라와 함께 연주한 것도 EMI에서 나왔다. 귀 밝은 청자는 내가 리파티의 마지막 악장 카덴차를 슬쩍 가져왔다는 것을 알아챌 것이다.

1   이 소나타는 슈나벨에게 각별한 의미가 있었던 모양이다. 그는 베토벤 소나타 전곡을 실황으로 연주할 때 항상 첫 프로그램 첫 곡으로 이 곡을 골랐다. 그의 음반은 전체 연주나 여기서 언급한 악절 연주나 수수께끼와 경이로 가득하다.

은밀한 청자를 위하여

내가 로베르트 슈만의 음악을 처음으로 연주했던 때는 아마 아홉 살이었던 것 같다. 〈어린이 정경〉에 수록된 짧은 곡들을 매주 한 곡씩 더듬더듬 배우다가 어느덧 끝에서 두 번째 곡인 「잠드는 아이」에 이르렀다. 제목을 보고 조용한 음악을 떠올렸는데, 서두르지 않고 부단하게 흔들리는 리듬이 이런 기대와 맞아떨어졌다. 그러나 이런 차분함이 순조롭게 유지되지는 않았다. 엉뚱한 강세가 불안한 음을 던졌고, 일부 화음은 요람을 살짝 요동치게 했다. 슈만의 다른 곡에 등장하는 어른들처럼 여기 이 아이도 풍성하고 격동적인 내면의 삶에 사로잡혀 있었던 것이다. 이 음악의 무엇이, 안전과 위험 사이에 위치한 그 무엇이 아홉 살의 나를 매료시켰다. 초견 연주 때 다음 음이 어떻게 되는지 보려고 몸을 앞으로 기울인 채 악보를 주시했던 기억이 난다.

과연 비범한 음들이 이어졌다. 몽롱한 E장조의 짤막한 간주에 이어 —2분짜리 곡은 모든 게 짧다— 서주의 단조 선율이 되돌아온다. 이제 휴식을 취하는 대목이 와야 하겠지만, 곡은 방향을 잃는다. 원래 와야 하는 화성이 길에서 벗어나 어둠 속을 헤맨다. 마지막 악구로 갈수록 해결은커녕 의문이 더 쌓인다. 곡 전체가 불투명해지고 취약해진다. 곡은 화성적으로 집에서 한참 벗어난 지점에서 발걸음을 멈추고 만다. 아이는 잠이 들기는 하지만 대단히 불안한 상태로 잠든다.[a] 나는 충격에 얼어붙고 말았다. 하지만 아홉 살 때는 미처 이해하지 못했다. 슈만이 만든 선율이 나의 가장 무시무시한 꿈을 밖으로 드러내 표현하도록 이끌어주었음을 말이다.

실은 매우 천천히 깨닫게 되었다. 내가 나 자신에 대해 알고 있는 것의 **대부분**은 슈만을 연주하면서 배웠다는 것을 말이다.

이 곡이 내가 연주해본 최고의 음악이라거나 가장 좋아하는 음악이라는 말은 아니다. 슈만에게는 베토벤 같은 힘이나 영성이 없다. 슈만은 셰익스피어처럼 인간의 심리를 꿰뚫어보는 모차르트에 미치지 못하며, 슈베르트의 불가사의한 우아함도, 브람스의 강철 같은 의지도 타고나지 못했다. 그러나 그에게는 다른 어떤 작곡가도 넘보지 못하는 소중한 특징이 있다. 슈만은 고독의 의미를 알고 이를 소리로 담아낼 줄 안다. 베토벤, 모차르트, 슈베르트, 브람스가 존재하지 않았다면 나는 그들의 음악이 지닌 힘을 알지 못했을 테고, 지금보다 더 메마른 ─ 어쩌면 훨씬 더 메마른 ─ 삶을 살았을 것이다. 그러나 슈만이 존재하지 않았다면 나는 온전한 사람이 되지 못했을 것이다.

* * *

걷잡을 수 없이 마음을 뒤흔드는, 갈망에 찬 슈만의 경이로운 걸작 〈환상곡〉 악보 맨 앞에는 프리드리히 슐레겔Friedrich von Schlegel의 시가 적혀 있다.

대지가 꾸는 형형색색의 꿈에서
다른 모든 소리를 뚫고
조용하게 지속적으로 울리는 한 음이 있으니
은밀하게 듣는 사람을 위한 음이라

이 시구는 〈환상곡〉에 각별한 의미를 부여하지만, 동시에 슈만의 모든 음악에 스며 있는 정신을 재치 있게 짚어낸 글이기도 하다. 역사를 통틀어 슈만과 같은 지위에 있으면서 그처럼 일반 청중들에게 무관심한 작곡가가 또 있었을까 싶다. 그의 시선은 항상 방 한쪽에서 은밀하게 듣는 개인을 바라본다. 예민하고, 어쩌면 힘들어하고 있으며, 거의 틀림없이 외로운 한 인간을.

나도 그런 은밀한 청자 가운데 한 명이다. 슈만의 음악은 거의 항상 내 곁에 있었다. 피아노 독주를 위한 레퍼토리는 비교 대상이 없을 만큼 무궁무진하지만, 나는 몇 번이고 다시 그의 음악으로 되돌아간다. 15년 넘게 연주 무대에 서는 동안 내 공연 프로그램의 상당 부분을 차지했으며, 연습 일과가 끝나면 그 누구도 아닌 나 자신을 위해 연주하는 곡이 바로 슈만의 곡이다. 그의 음악은 다양한 역할을 했다. 내게 위안을 주기도 했고, 때론 신나지만 대개는 위험하리만치 어둡고 기기묘묘한 세상으로 나를 데려가기도 했다. 무엇보다 슈만의 음악은 내 목소리가 되어주었다. 보통은 제 존재를 드러내지 않는 내 영혼의 일부가 그의 음악 덕분에 형태를 얻었다. 슈만의 음악은 여리면서 광대하고, 내향적이면서 포용력이 있다. 그것이 그의 음악을 특징짓는 징표다. 슈만의 음악을 사랑하는 것은 인간을 사랑하는 것과 아주 비슷해서, 그 결점조차도 생명력 있고 경이와 깨달음을 안겨주는 것으로 보인다. 때로는 화가 치밀기도 하지만 그렇다고 그것을 포기할 생각은 추호도 들지 않는다는 점에서도 마찬가지다.

* * *

나와 슈만의 관계의 핵심에는 항상 사랑이 있었다. 피할 수 없는 결과였는지도 모른다. 어쨌든 그 사랑으로 인해 그와 나의 관계는 다른 위대한 작곡가들과의 관계와는 근본적으로 다를 수밖에 없었다. 예컨대 모차르트, 슈베르트, 바르토크, 특히 베토벤의 경우에는 그 핵심에 사랑이 아니라 **경외심**이 있다. 모차르트의 협주곡이나 베토벤의 〈대공〉 삼중주를 연주하고 나서 무대 뒤로 갔을 때, 동료들은 되풀이되는 내 질문을 계속 듣게 된다. "그게 어떻게 가능하지?" 내가 가장 끌리는 음악들 — 말 그대로 자력처럼, 구심력처럼 나를 끌어당긴다 — 은 대부분 수수께끼 같은 매력을 품고 있다. 이런 작곡가들의 음악을 껴안고 살아온 지 20년이 지났지만, 그들이 어떻게 그런 위업을 이루었는지 더 잘 이해할 수는 없었다. 시간이 흐르고 고되게 노력한 덕분에 무한을 향한 베토벤의 비전이나 슈베르트가 선보이는 심리적인 드라마가 한층 가깝게 느껴지기는 한다. 하지만 그것들이 어디서 비롯되었는지 설명해달라고 한다면? 그건 어림없는 소리다.

이런 경외심은 다양한 방식으로 나와 음악의 관계에 핵심적인 영향을 끼쳤다. 나는 말 그대로 음악에 둘러싸여 자랐다. 부모님 두 분 다 바이올린을 연주했고, 할머니는 첼리스트였으며, 외할머니는 피아노 교사였다. 피아니스트이자 작곡가인 삼촌도 있었다.

　가장 중요한 것은 그들 각자가 지닌 기억이었다. 어렸을 때 나는 카네기홀 뒷좌석에서 아르투르 루빈스타인의 소리가 음반은 흉내도 내지 못할 만큼 영롱하고 경탄스럽더라는 말을 들었다. 내가 음반으로 들은 루빈스타인의 연주도 충분히 영롱하고 경탄스러웠는데 말이다. 나탄 밀스타인이 열두 살이던 우리 어머니 바로 옆에서 다리를 꼬고 앉아 파가니니의 카프리스 한 곡을 연주했다는 이야기도 들었다. 1970년대에 말보로 음악 페스티벌에서 여름을 보냈다는 이야기도 있었다. 거기서 루돌프 제르킨이 파우 카살스가 지휘하는 오케스트라와 연주하고, 산도르 베그가 현악 사중주단에서 연주하는 것을 매주 보았다는 이야기였다. 음악의 완성도로 보나 생각의 건실함으로 보나, 여러 이야기에 등장한 인물들은 다들 명백한 거인들이었다. 레온 플라이셔가 1960년대 초에 리스트와 슈베르트의 소나타 B플랫장조를 연주하는 것을 들었다는 이야기도 있었다. 아버지는 그 공연을 지금껏 자신이 들은 최고의 피아노 리사이틀로 꼽았다. 그러고 나서 나는 플라이셔에게 피아노를 배웠는데, 그는 자신의 스승인 아르투르 슈나벨을 언급할 때면 경외심 때문에 목소리가 낮아졌다. 그러므로 내가 과거의 음악을 공부할 때마다 옛 거장 **연주자들**의 위대함이, 혹은 내가 **상상했던** 그들의 위대함이 내 마음 깊은 곳에서 울려 퍼진 것은 놀라운 일이 아니다. 어린 시절, 나 자신의 길을 찾으려고 애쓰던 나는 정말로 그들처럼 되고 싶었다.

하지만 슈만은 달랐다. 건방지게 보인다고 하겠지만, 나는 다른 연주자의 슈만 연주를 들으면서 그 연주를 따라 하고 싶다는 생각을 해본 적이 거의 없다. 한때는 알프레드 코르토의 음반―〈어린이 정경〉, 〈교향적 연습곡〉, 〈다윗동맹 무곡〉―을 열심히 들었다. 어떤 관점에서 보더라도 훌륭한 연주다. 코르토의 연주가 내 마음을 움직였던 이유는 여러 가지를 들 수 있다. 깊은 인간미, 대단한 창조성―상상의 세계를 불러내서 진짜 현실처럼 보이게 만드는―, 그리고 피아노로부터 피아노 같지 않은 다채로운 울림을 끌어냈던, 한없이 유연한 소리의 스펙트럼 (피아노 앞에 앉은 피아니스트가 그저 피아노 소리만 낼 줄 안다면 그보다 나쁜 것도 없다). 요컨대 코르토는 슈나벨이 베토벤의 소나타를 통해 이뤄낸 것과 비슷한 일을 슈만을 통해 해낸 것이다. 나는 그 연주에 마음을 빼앗겼고, 정신마저도 거의 빼앗길 지경이었다. 하지만 나는 슈나벨처럼 베토벤을 연주하고 싶다는 욕망—헛된 욕망일 뿐만 아니라 나를 망칠 수도 있는 욕망—과는 오랜 시간을 싸워야 했지만, 코르토의 슈만은 그 치명적인 매력에도 불구하고 슈만의 음악에 대한 나 자신의 구상에 구체적이거나 실질적인 변화를 일으키지 못했다. 나는 코르토의 연주를 듣고 존경하며 심지어 사랑하지만, 거기까지다. 아주 세세한(슈만의 경우에는 결코 사소한 게 아니지만) 측면에서조차 내 해석은 영향을 받지 않고 그대로 남아 있다. 의문을 품고 멈칫하는 대목, 마음이 쿵쾅거려 곡 자체가 박자를 살짝 놓쳐버리는 대목, 음악에서 마침표, 쉼표, 느낌표, 특히 물음표가 놓이는 자리……. 아무것도 달라지지 않는다.

다른 위대한 작곡가들이 지닌 음악의 상상력이 내게 수수께끼와 경이로 여겨진다면, 슈만의 음악은 마치 **나의** 내적 삶에서 나오는 것처럼 여겨진다. 내가 더 용기가 있었다면, 그리고 천재였다면 썼을 것만 같은 음악이다. 이런 특이한 사례에서는 작곡가와 나 사이에 거리감이 존재하지 않는다. 그래서 경외심이 있을 수가 없다. 그의 음악은 나에 관한 것이자 날 위한 것이다. 그의 음악을 연주할 때면 그에 관한 모든 것을 이해할 수 있다.

모든 연주자가 그렇듯이 나도 망상에 빠질 수 있지만, 슈만과 나의 관계는 **그 정도까지는** 아니다. 슈만은 특별히 날 위해 곡을 쓰지 않았고, 그의 음악을 너무도 사랑하는 수많은 청자들(아마도 은밀한 사람들)보다 내가 슈만을 더 잘 이해하고 있는 것도 아니다. 그러나 이런 특징은 슈만이 지닌 가장 이례적인 재능을 보여준다. 그의 음악은 매우 사적이지만, 그와 동시에 충분히 많은 사람들로 하여금 '그의 음악 속에는 나만을 위한 특별한 울림이 있다'고 느끼게 만들 만큼 보편적인 그 무엇을 **담고 있다**. 슈만의 음악은 수많은 청중의 마음속에 있는 가장 사적인 생각과 일대일로 접촉한다.

확실히 해두겠다. 지금 나는 극단적으로 내밀한, 사적인 단계에 대해 말하고 있다. 우리가 할 수 있는 말은 대화의 상대에 따라 달라진다. 모두에게 말하는 것이 있고, 몇몇 사람에게만 말하는 것이나, 사랑하는 사람(그리고 어쩌면 정신 치료사)에게만 말하는 것, 혹은 스스로에게만 말하는 것이 있다. 그리고 당연하게도 스스로에게조차 털어놓지 않는 것이 있다. 슈만의 음악은 바로 그런 수준에서 작동한다. 그는 곡을 쓸 때마다 자신의 깊은 곳으로 손을 뻗어 가장 모호하게 숨겨져 있는 것을 찾아내려 하며,

그것을 모든 사람의 모호함처럼 느껴지도록 만든다.

이것은 소중하고 희귀한 특징이다. 동시에 지독히 위험한 것이기도 하다. 자신의 유약함을 인정하는 것은 건강한 행위다. 하지만 그것을 반복적으로 응시하는 것은, 자신의 유약함을 확대경으로 들여다보고 형광등 불빛에 비추어보는 일은 그렇지 않다. 하지만 슈만은 바로 그런 일을 한다.

그 예로 〈여인의 사랑과 생애〉를 들 수 있다. 한 여인의 관점에서 진행되는 이 구슬픈 가곡집은 사랑에 빠진 두 사람의 관계가 변화하는 과정을 단계별로 보여준다. 그 끝은 죽은 남편을 향한 애도다. 이 마지막 곡이 시작될 때, 피아노는 마치 세 대의 트롬본처럼 격분을 터뜨린다. 폭발하는 단화음이 포문을 연다. 이어지는 첫 행은 놀랍지 않게도 분노로, 혼자 남겨진 사람의 분노로 차 있다. 곧 분노는 물러나고 애원이 이어진다. 가사는 상실의 쓸쓸함을 다루지만, 슈만의 음악은 그가 돌아오기를 간곡히 청한다. 가슴을 뭉클하게 하는 이런 태도 혹은 정서는 상실에 관해 쓴 낭만주의 시에서, 그리고 거기에 바탕을 둔 음악에서 우리가 기대하는 바로 그것이다.

하지만 마지막 연이 시작되면 슈만은 인위적인 요소를 모두 걸어내고 여인의 고통을 가감 없이 탐구한다. 분노와 애원은 뭔가 얻고자 하는 바가 있었지만, 그것들이 사라지고 나자 남은 것은 슬픔과 슬픔의 덧없음이다. 음악은 이에 걸맞게 마무리된다. 리듬, 화성, 모티프, 무엇 하나 뚜렷하게 진행되지 않는다. 목소리는 올라가려다가 떨어지고 만다. 각각의 악구는 대답 없는 질문으로 들린다. 우리는 영혼이 흐트러지는 모습을 듣는다.

그러고는 아무것도 없다. 마지막 가사 "그대가 내 세상의 전부였어요!"가 반종지half-cadence 상태에서 해결되지 않은 채로 끝난다. 그 대목에서 노래는 그냥 멈춘다. 이후 이 연가곡은 정신이 나간 것처럼 첫 곡을 반복하면서 마무리된다. 조용하게 사랑을 선언하는 노래. 20분 전에 나왔던, 어쩌면 20년 전의 상황을 담은 이 곡을 **목소리가 빠진 채로** 반복한다. 피아노 혼자서 자신의 파트를 연주하는데, 때로는 이제 들리지 않는 보컬을 에워싸고, 때로는 그저 골격만 제시한다. 이런 결말—느슨한 의미에서의 결말—은 추정컨대 추억을 나타내기 위함이겠지만, 그 추측이 전하는 메시지는 너무도 분명하다. 그녀 역시 실질적으로 세상을 떠난 것이나 다름없다는 뜻이다. 그녀는 상실감으로 인해, 그리고 스스로에게 허용한 감정에 의해 무너져버린 것이다.[b]

남녀 문제와 성격 묘사 문제를 제쳐두자면, 나는 〈여

인의 사랑과 생애〉를 들을 때 내가 듣는 것이 슈만 자신의 소멸임을 결코 의심하지 않는다. 그의 다른 음악들에 대해서도 똑같은 말을 할 수 있다. 그의 곡을 **연주**한다는 것은 슈만의 뒤를 따라 무서운 복도를 걷는 것이다. 그 경험이 좋든 싫든 나는 결코 이를 주저하지 않았다. 슈만을 연주할 때면 그 곡의 정서적 의미에 밀착되는 기분이 들면서 온몸의 화학적 성질이 바뀐다. 음악을 통해 이 기묘하고도 아름다우며 망가진 사람을 제대로 알게 된 것 같은 기분이 든다. 나는 어떤 위험이 따르더라도 알고 **싶다**. 이런 것이 사랑이라고 생각한다.

* * *

그리고 세상 모든 사람들이 우리가 사랑하는 것을 사랑하면 좋지 않을까?

내게 누구보다 특별한 의미로 다가오는 슈만과의 관계에는 독특하고 묘한 측면들이 많지만, 그를 **보호해주고** 싶다는 감정보다 더 독특하고 기묘한 것은 없다. 명백한 약점이 있는 가까운 친구를 보호해주고 싶다는 감정은 타당해 보인다. 하지만 내가 태어나기 100년도 훨씬 전에 죽은 유명한 작곡가를 보호해주고 싶다는 감정은 얼토당토 않을 수 있다. 하지만 계속해서 나는 인간 방패가 되어 그와 세상 사이에 나 자신을 두고 싶다.

이런 감정의 일부는 그냥 자존심 문제 같다. 내가 슈만에게 워낙 동질감을 느끼기 때문에, 누가 조금이라도 그를 무시하면 거의 인신공격처럼 느껴진다. 또한 그의 삶의 비극적 면모가 내 마음을 흔들기도 했다. 그는 불안정했고 충족되지 못했으며 속세에서는 속수무책인 삶을 살았다. 그에 대해 알면 알수록 그의 비극적 결말은 피할 수 없었던 것으로 보인다. 게다가 그가 겪은 고통은 작품에 고스란히 담겨 있으므로, 그의 음악을 듣기만 해도 역사를 다시 써서 좀 더 행복한 결말을 그에게 안겨주고 싶다는 생각이 든다.

그러나 내가 그를 지켜주고 싶다는 감정에는 다른 요인도 있다. 슈만이 아무리 많은 사랑을 받고 그의 음악이 전 세계 음악회 무대에서 자주 연주된다 해도, 그는 뭔가 부족한 존재, 음악사에서 괴짜 삼촌 같은 존재로 여겨지는 경향이 있다.

이런 생각을 뒷받침하는 일화는 불편할 정도로 많다. 많은 동료들이 슈만을 '과대평가된' 작곡가라고 말하며, 슈만을 좋아한다고 고백하는 사람들의 목소리에서는 종종 쑥스러운 기색이 감지된다. 또한 호기심 많고 박식한 음악가들 사이에서조차 의외로 제대로 알려져 있지 않은 그의 음악이 제법 많다.

그중 가장 괴로웠던 경험은 몇 년 전에 대단히 유명한 작곡가와 만났을 때였다. 그의 음악은 재치 있고 심오했으며, 과거와 깊은 연관성을 보이면서도 그만의 독창적인 아이디어가 넘쳤다. 슈만과 비슷했다. 나는 슈만의 〈여섯 개의 시와 레퀴엠〉 작품번호 90을 처음으로 듣고 난 직후에 그를 만났다. 그 무렵 나는 오랫동안 열성적으로 슈만의 음악에 매달려 왔다. 그래서 아직 들어보지 못한 그의 곡을 듣더라도 내 삶이 바뀌게 되리라고는 생각하지 않았다.

그날 공연은 그야말로 발견의 연속이었다. 정열과 슬픔이 뒤섞인 「나의 장미」에서 출발한 그 모음곡은 불가해하고도 덧없는 「만남과 이별」을 거쳤고, 마지막으로 순결하면서 강렬한, 종교적 감흥을 최고로 아름답게 증류시킨 「레퀴엠」에 이르렀다. 속절없이 아름다운 슈만 음악의 표본이었다. 공연장 안을 떠도는 분자들의 구조가 미묘하지만 돌이킬 수 없이 달라졌다.ᶜ

나는 방금 들은 음악의 감흥에서 헤어나지 못한 채 공연장을 나와 작곡가를 만나러 갔다. 내가 막 보고 나온 것을 그에게 이야기하면서 그 역시 호기심을 내보이리라 기대했다. 하지만 돌아온 것은 조롱이었다. "무척 아름다웠던 모양이군요." 그가 눈을 위로 치켜뜨며 대답했다. "대가의 경지로 당신을 사로잡았나요?"

마치 한 대 얻어맞은 것 같았다. 내가 방금 들은 음악은 인간의 인연, 인간의 고독에 대해 내가 중요하다고 여기는 모든 것을 말해주었다. 그것도 내가 말로 표현할 수 있는 것보다 더 정확하게 말이다. 그 음악을 하찮다고 무시하다니. 그것도 내가 무척이나 존경하는 사람이 그러다니. 마치 나의 미학, 나의 가치, 나 자신이 모조리 무시당한 것처럼 여겨졌다. 슈만이 이런 노래를 통해 자신의 유약함을 그야말로 정직하게 드러냈음을 생각하면, 그의 말은 무척이나 매몰차고 심지어 잔인하게 들렸다. 그러나 무엇보다 내가 이해할 수 없었던 것은 뛰어난 곡을 쓰는 작곡가가 그토록 보기 드문 감정의 깊이를 가진 곡을 어떻게 일말의 주저함도 없이 무시할 수 있느냐는 것이었다.

오늘날의 많은 작곡가들은 19세기를 거북하게 느끼는 것 같다. 감정을 적나라하게 드러내는 19세기의 방식은 이미지와 아이러니가 최고로 우선시되는 요즘 세상에서는 불편하게 여겨질 수 있다. 그런 점을 고려해서 그날 일을 마음에 덜 담아두었어야 했다. 그러나 나는 몹시 오랫동안 그 일로 속상해했고, 지금도 그때 일을 떠올리면 울컥해서 마음을 다잡게 된다. 나를 가장 슬프게 하는 것은 이런 식으로 슈만을 깎아내리는 경향이 뿌리 깊게 만연해 있고, 이런 편견이 사람들로 하여금 그의 가장 풍성하고 가장 감동적인 음악을 탐구하지 못하게끔 가로막는다는 것이다. 안일하고 편협한 통념이다.

또 다른 사건은 다른 방식으로 나를 의기소침하게 만들었다. 얼마 전에 내가 자주 함께 작업하는 오케스트라에서 예술 기획을 담당하는 사람과 점심식사를 같이 한 적이 있다. 내가 이 오케스트라와 정기적으로 연주해 왔으므로, 그는 다음에는 살짝 낯선 곡을 무대에 올리는 것도 괜찮겠다고 생각했다.

이런 경우에 내가 추천하는 곡은 항상 정해져 있다. 슈만의 〈서주와 콘체르토 알레그로〉 작품번호 134다. 그가 말년에 작곡한 이 관현악곡은 예지적인 면이 돋보이며, 특히 극단까지 밀어붙인 내적 성격이 압권이다. 이 곡을 듣다 보면 남들이 옆에서 듣건 말건 슈만이 온전히 자신에게만 말하고 자신만을 대변하는 듯한 순간들이 있다. 사실상 거의 연주되지 않는 작품이지만, 무한한 사랑을 받는 피아노 협주곡만큼이나 완벽하고 아름다운 곡이다. 내게 이 곡은 피아노 협주곡보다 더 오랜 여운과 더 깊은 인상을 남겨준다.[d]

하지만 상대의 반응은 빠르고 단호했다. "죄송합니다

만, 그 곡은 수준이 떨어지는 작품이에요."

　　나는 경악했지만 잠자코 물러서지 않았다. 이런 식으로 일반화된 슈만에 대한 편견에 이미 익숙해졌고, 이에 맞설 논리까지 준비해두었던 나는 단호하게 밀고 나갔다. 그 곡은 인기가 있는 그의 몇몇 관현악곡보다 훨씬 상세한 슈만의 모습을 담고 있다. 경탄을 자아내는 절묘한 관현악법이 곳곳에서 빛난다. 머뭇거리는 개시부에서 피치카토 현이 불확실성의 느낌을 고조시키는 대목이라든지, 서정적인 제2주제를 연주하는 플루트에 트릴과 트레몰로로 연주하는 피아노가 가세하면서 주요 선율에 한 꺼풀의 천을 씌우는 대목, 마지막에 가서 그때까지 잠자코 있던 트롬본이 종교적인 울림과 함께 등장하여 활약하는 대목이 그런 예다. 그리고 곡에는 마지막으로 내밀 비장의 카드까지 있었다. 이 곡은 사람들의 환심을 끄는 일에 워낙 무관심하므로, 강력한 옹호자, 그러니까 이 곡에 열광하는 피아니스트가 필요하다. 아마도 그가 예전에 들었던 연주는 열의가 미적지근했던 모양이다.

　　그는 내 장황한 설명을 점잖게 듣더니 이번에는 잠깐 뜸을 들이고 대답했다.

　　"어쩌면 실은 내가 들어본 적 없는 곡인 것 같네요."
의문문처럼 그의 말꼬리가 살짝 올라갔지만 그것으로 논

의는 끝났다. 그는 이 곡에 대한 자신의 견해를 바꿀 생각이 없었다.

이런 일들은 계속해서 일어나며, 그럴 때마다 내 가슴은 살짝 **얼어붙는다**. 음악가로서 자신이 각별한 애착을 느끼고, 심지어 자신을 규정한다고 느끼는 음악이 무시되면 근본적인 단계에서 세상과 틀어진다는 기분이 든다. 나는 절대로 슈만의 음악이 완벽하다고는 주장하지 않지만 — 글쎄, 완벽하다는 게 뭘까? — 브루크너와 바그너, 슈트라우스의 허풍을 기꺼이 받아들이는 많은 사람들이 왜 슈만은 (그의 기벽과 가끔 발현했던 강박을 탓하며) 멀리하는지 도무지 이해할 수가 없다.

슈만이 무시를 당하는 주된 원인은 걸핏하면 그를 부당하고 부적절한 방식으로 다른 작곡가들과 비교하는 우리의 성향 때문으로 보인다. 다른 업계와 마찬가지로 고전음악계도 목록을 작성하고 순위를 매기고 비교하는 데 목을 매지만, 이런 행위는 슈만의 장점에 몰입하고자 할 때 특히 걸림돌로 작용한다. 그의 음악은 누구와도 같지 않고, 거대한 제스처보다는 아름다운 디테일에 강점이 있다. 그러다 보니 사람들은 그를 자신만의 예술적 우주를 거느린 중심으로 보지 않는다. 사람들은 슈만을 음악사의 구석에 있는 인물로 바라본다.

슈만의 곡보다 탁월함이 더 쉽게 와닿고 더 엄격한 음악을 찾기란 얼마든지 가능하다. 슈만은 이런 특징이 부각되는 곡을 쓰지 않았다. 왜 그래야만 하는가? 더 정확히 말하자면, 슈만이 자신만의 매력을 유지하면서 그런 방식으로 작곡**할 수 있었을까**? 효율성을 따졌다면 시간을 멈추는 것 같은—때에 따라서는 시간을 더 빠르게 만드는—악구 전환이 일어날 수 있었을까?

　　우리는 자신이 사랑하는 대상을 모든 사람이 마찬가지로 사랑해주기를 원하며, 이상적으로는 그 대상이 본래의 모습 그대로 사랑받기를 원한다. 그러나 슈만의 경우에는 그러기가 어려워졌다. 그에 대한 편견이 한 세기 반 동안 쌓였기 때문이다. 사실을 약간만 첨가한, 완전히 부당한 통념들이 청자들을 오염시키면서 슈만을 듣는다는 경험을 위축되고 방어적이고 편협한 것으로 만들었다. 결국 사람들은 슈만을 있는 그대로의 모습으로(심오하리만치 시적이고, 여리고, 강박적이고, 다른 무엇을 떠올리게 하고, 엉뚱하고, 내적으로 침잠하는) 다가가려 하기보다는 그가 아닌 모습(직설적이고, 건강하고, '베토벤적인')에 도달하지 못한 인물로 평가하려고 한다. 나는 천성적으로 음악이든 무엇이든 남에게 강요하는 사람이 아니다. 그러나 슈만만은 예외다. 그의 음악이 내게 안겨주는 가슴 철

렁한 느낌, 요란하게 울부짖는 소리를 다른 사람들도 느끼기를 원한다. 나도 어쩔 수가 없다.

* * *

지금도 우리의 마음을 뒤흔드는, 가슴에서 우러나오는 울음은 낭만주의의 핵심적인 제스처였다. 그리고 슈만은 여러 면에서 낭만주의 작곡가의 전범이었다. 음악적 시대를 나누는 것은 까다롭기로 악명 높은 작업이지만 — 일례로 베토벤이나 슈베르트를 '고전주의'나 '낭만주의' 작곡가로 부른다면 그들을 과도하게 단순화시켜 오해하는 것이다 — 슈만이 등장할 무렵에는 과거와의 확실한 단절이 이루어졌다. 그런데 여기에는 어떻게 보면 아이러니한 지점이 있다. 과거와의 단절을 전형적으로 보여주는 낭만주의의 특징이 바로 과거에 대한 절대적 **집착**이기 때문이다.

슈만은 영향력 있는 작곡가로 자주 거론되는 인물이 아니다. 관습적 견해에 따르면 베토벤의 등장이 음악사에서 분수령을 이루었고, 그 이후로 적어도 바그너가 등장할 때까지는 어두컴컴한 시기가 이어졌다. 그러나 슈만은 음악적 노스탤지어의 창시자였고, 음악뿐만 아니라 음악을 **둘러싼** 문화도 급격하게 재정의했다. 이런 흐름은 지금까지도 견고하게 이어지는 중이다. 거의 200년이 지난 지금도 이런 음악적 돌아봄Rückblick — 노스탤지어 — 은 고전음악이 스스로를 바라보는 방식에 절대적인 영향을 끼치고 있다.

내가 가장 좋아하는 20세기와 21세기의 작곡가들을 보면 지리적으로나 양식적으로나 기질적인 면에서 공통점이 거의 없다. 그들이 공유하는 게 있다면 과거에 대한 아픔인데, 이는 각자의 음악에서 서로 다른 방식으로 드러난다. 우선 신新 빈악파 — 쇤베르크, 베베른, 베르크 — 의 열렬한 표현주의 음악이 있다. 이들의 음악이 가장 귀를 잡아채는 순간에 자주 등장하는 것이 아래로 크게 하강하는 음정, 즉 음악적 탄식이다. 야나체크는 난해하기 이를 데 없는 현악 사중주곡 〈크로이처 소나타〉로 베토벤에게 헌사를 바쳤는데, 그가 주제로 삼은 것은 사실 베토벤이 작곡한 바이올린 소나타가 아니라 톨스토이가 그 소나타를 소재 삼아 집필한 중편소설이었다. 그러니까 과거의 음악이 지니는 소름 끼치는 힘에 대해 쓴 글을 바탕으로 한 음악인 셈이다. 야나체크의 대규모 피아노곡집 〈수풀이 우거진 오솔길에서〉에는 '말문이 막히다!'라는 멋진 제목을 가진 악장이 있다. 이 곡은 음악이 지닌 생생한 힘과 특유의 개성에 바치는 곡으로 해석될 수 있지만, 음악 자체는 겁에 질려 있고 힘이 들어가 있어서 부자연스러운 느낌을 준다. 아무런 할 말도 남아 있지 않음을 묘사한 것이다.

위대한 죄르지 쿠르탁György Kurtág의 삶과 음악에서도 같은 주제가 발견된다. 과거의 짐에 짓눌렸던 그는 처음으로 출판한 작품을 자신을 도와준 심리치료사에게 바쳤다. 지금껏 내 기억 속에서 가장 요란했던 순간은 쿠르탁이 자신의 작품 〈미하이 언드라시에게 바침〉을 연주하려는 젊은 현악 사중주단을 지도하는 광경이었다. 그는 자신의 곡이 전하려는 메시지가 '불확실함'임을 알려주고자 1분 30초 동안 아무 말도 하지 않았다. 쿠르탁은 내가 아는 가장 완전한 음악가이며, 바흐에서 버르토크까지 두 세기에 이르는 음악을 섭렵한 그의 지식은 말 그대로 모든 것을 아우를 정도로 대단하다. 그러나 그는 오늘날 음악계에서 과거의 음악에 대한 이해가 정교하고 폭넓을수록 작곡하기가 더 어려워질 뿐임을 보여주는 대표적인 사례로 통한다. 실제로 절묘한 아름다움을 선보이는 소곡小曲—연주에 불과 몇 분, 심지어 몇 초밖에 걸리지 않는 곡—으로 작곡 활동을 제한함으로써 작곡가로서의 경력을 겨우 이어갈 수 있었던 그는 유독 죽은 작곡가들을 추억하며 쓴 곡이 많다.° 그 가운데 하나가 피아노와 클라리넷, 비올라를 위한 곡 〈R. 슈만을 향한 예찬〉이다.

이렇듯 지난 100년의 작곡가들에게는 과거가 모든 것이었다. 영감을 준 것도, 준거점이 된 것도, 문제가 된 것도 과거다. 〈여섯 개의 시와 레퀴엠〉을 얕잡아 본 내 상대의 사례에서도 이 점은 잘 나타난다. 만약 슈만이 중요하게 여겨지는 문화를 깊이 대변하는 사람이 아니었다면 과연 그런 반응을 일으켰을까? 그러나 19세기 말에도 과거를 향해 시선을 돌리는 건 대단히 중요한 일이었다. 브람스와 바그너는 음악 언어나 우선시하는 가치에서는 공통점이 그리 많지 않았지만, 두 사람 모두 베토벤의 유령에 절대적으로 시달렸다. 이 문제는 브람스에게 더 심각하게 다가왔던 듯하다. 그는 경력 초기에 작곡한 스무 곡의 현악 사중주곡을 폐기했고, 마흔세 살이 되어서야 첫 번째 교향곡을 출판했다. 현악 사중주와 교향곡이라는 장르에서 베토벤은 브람스에게 커다란 압박감을 안겼던 것이다. 이 압박을 벗어나기 위한 브람스의 해결책은 고전주의 음악을 세심하고도 철저하게 학습하는 것이었다. 양식을 창안하는 게 불가능하다면 양식을 속속들이 이해하는 게 차선이라는 생각이었다.

그에 비하면 바그너는 최소한 겉으로는 더 대담했다. 베토벤이 그에게 드리운 불안은 늘 베토벤보다 한발 더 나아가고 싶다는 열망으로 표출되었다. 베토벤의 음악이 영웅적이고 형이상학적이라면, 바그너 자신의 음악은 **더 욱** (스스로 그런 생각이 들 만큼 더욱) 영웅적이고 더욱 형이상학적이어야 했다. 물론 곡의 길이도 더 길어야 했다. 이런 점에서 바그너는 말러 및 브루크너와 어깨를 나란히 한다. 많은 장점이 있지만 간결함이라는 덕목은 빠져 있는 장대한 교향곡을 썼던 그들은, 자신의 가치를 입증하고 과거와 경쟁하려는 무리한 욕심에 짓눌릴 지경이다.[f]

하지만 항상 그랬던 것은 아니었다. 18세기 말과 19세기 초에는 다채로운 성격을 지닌 거장들, 즉 하이든, 모차르트, 베토벤, 슈베르트가 잇달아 등장했다.[1] 그들의 깊은 본성은 뚜렷하게 구별되었지만 — 모차르트와 베토벤만 하더라도 서로 양극단의 성격을 갖고 있었다 — 다들 전임자의 작품을 똑같은 식으로 바라보았다. 즉 기회를 얻는 발판으로 삼았다. **더 많은 것**을 이룰 수 있는 기회, 더 멀리 나아갈 수 있는 기회로 말이다. 베토벤은 모차르트가 거둔 이런저런 성과를 결코 능가하지 못하리라 자주 탄식했다고 하지만, 하이든이 창안하고 모차르트가 완벽하게 다듬은 장르를 사용하며 끊임없이 노력했다. 예컨대 모차르트가 피아노 협주곡 형식을 상상할 수 없는 수준까지 끌어올린 지 얼마 지나지도 않아서 베토벤이 잇단 걸작들을 쏟아내며 피아노 협주곡을 완전히 새로운 모습으로 만들 것이라고는 아무도 예상하지 못했을 것이다. 베토벤의 발걸음을 뒤따랐던 슈베르트도 마찬가지로 두려움이 없었다. 베토벤이 죽은 이듬해에 (비극적일 만큼 짧았던 그의 삶의 마지막 해에) 그는 세 곡의 피아노 소나타를 작곡했다. 그것은 숭고한 마지막 유언장이었다. 거기서 슈베르트는 베토벤의 역작이 남긴 성과를 터득했음을 보여주면서도 베토벤이 생각지 못했던 방향으로 피아노 소나타라는 형식을 끌고 갔다. 이런 거장들에게 과거는 그저 현재와 미래에 앞서는 것, 가능성으로 차 있는 것일 뿐이었다.

이런 낙관주의는 슈베르트와 함께 끝났다. 많은 면에서 그와 비슷한 영혼으로 보이는 슈만은 슈베르트의 자연스러운 계승자로 볼 수 있지만, 실제로는 그 둘 사이에 엄청난 변화가 있었다. 슈만은 전임자와 사랑에 빠져 거의 혼절에까지 이른 최초의 작곡가다.

두 가지 상황이 결합하여 이런 결과를 빚어낸 것으로 보인다.

첫째는 역사적인 필연성이다. 베토벤과 슈베르트는 용맹하고도 신나게 음악을 혁신했고, 이는 음악계가 얻은 가장 큰 선물 가운데 하나였다. 하지만 이 선물은 장기적으로 보면 재앙이기도 했다. 베토벤은 대단히 엄격하게 규정된 음악 양식이 마련된 시대에 태어났다. 모든 것에 규칙이 있었고, 규칙은 **효과적으로 작동했으므로** 잘 지켜졌다. 추상적이고 학술적인 규칙이 아니었다. 최고의 효율성으로 청자에게 최고의 감정적, 심리적 효과를 안겨주게끔 곡을 구성시키는 규칙이었다. 그러나 기질상 규칙을 싫어했던 베토벤은 체계적으로(!) 규칙을 하나하나 거역하기 시작했다. 슈베르트가 등장할 무렵에는 음악계는 이미 한층 느슨하고 보다 실험적인 공간이 되어 있었고, 그가 세상을 **떠날** 때는 이런 상황이 한층 가속화되었다. 그는 말년의 작품에서 마음이 가는 대로 놓아두고 무의식을 자유롭게 풀어놓았으며, 계속해서 이전에 탐구되지 않았던 옛 작곡 형식들을 구석구석 훑었다.

요컨대 베토벤과 슈베르트는 고전주의 양식을 한계 너머까지 끌고 갔다. 그들의 음악에서는 예외가 규칙이 되었고, 규칙은 더 이상 적용되지 않았다. 두 사람은 야심 있게 조성 체계를 뒤흔들었다. 그 결과 조성 체계는 크게 휘청거렸고, 이후 서서히 시들어 가며 100년가량 목숨을 이어 가다가 마침내 쇤베르크에 의해 안락사를 당했다. 따라서 슈만이 등장할 무렵에는 과거의 양식과 화성 언어의 해체가 이미 돌이킬 수 없는 흐름으로 자리 잡고 있었다.[2]

또 하나의 조건은 슈만 본인의 성격과 개인적인 상황

이었다. 사춘기에 자신의 음악적 능력에 의문을 품었던 그는 (비록 우발적이긴 했지만) 자신이 자초한 부상으로 인해 피아니스트라는 꿈을 시작해보지도 못했다. 그러고 나서 그는 당시 유럽 각지에서 연주자로 명성을 떨치던 여성과 결혼했다(그때 슈만은 자신의 고향인 츠비카우에서조차 무명이었다). 이렇게 말하면 정치적으로 올바르지 않겠지만, 야망에 넘치는 19세기의 남자에게 그런 상황은 재앙이나 다름없었다. 이후로 13년간 그는 출판업자로부터, 동료들과 청중으로부터 수없이 거절을 당했다. 사람들은 한결같이 그의 음악보다는 그의 부인의 연주에 더 열광했다. 정서가 불안정한 사람에게 이는 더할 수 없는 악재였다. 슈만은 대단히 박식했으며 호기심이 많았고, 음악사를 포함한 역사 전반에 대해 풍부한 지식을 갖추고 있었다. 그러므로 그가 역사 속에서 자신이 어떤 위치에 놓일지 고민하며 괴로워했다는 사실은 그다지 놀랍지 않다.

1837년에 슈만은 자신이 창간하고 편집한 『음악신보』에 '박물관'이라는 제목의 다소 묘한 글을 게재했다. 표면적으로 보면 새로 나온 곡들에 대한 평을 모아놓은 형식인데, 각각의 평에는 슈만의 이름이 아니라 그의 많은 분신들alter ego의 이름이 적혀 있다.[3] 이는 슈만에게는 전혀 이례적인 일이 아니었다. 슈만의 작문 솜씨는 작곡할 때만큼 뛰어나지는 않았지만, 그는 글을 쓸 때 훨씬 더 거침없이 상상의 나래를 펼쳤다. 하지만 사실 이 글의 원래 목적은 따로 있었다. 제목에서 짐작할 수 있듯, 자신을 비롯한 동료들 가운데 누가 음악의 만신전에 오를 자격이 있는지 선언하려는 것이었다. 이런 선언은 오늘날의 비평가들과 음악 애호가들 사이에서는 인기 있는 놀이지만, 당시에는 듣도 보도 못한 시도였다. 오늘날이라면 고전음악 '박물관'이라는 발상이 애호가들의 눈살을 찌푸리게 만들지는 않을 것이다. 하지만 1837년에는 현재의 산물을 과거의 산물과 엮어서 영예롭게 한다는 발상이 기괴하게 여겨졌다. 그러나 슈만은 바로 그와 같은 박물관에 자신이 전시되기를 열망했다. 그가 숭상한 세계, 더 이상 존재하지 않는 세계에 속하려는 것이었다.

사실 슈만은 과거를 숭상하는 데 그치지 않았다. 그는 과거에 굴종했다. 그는 자신의 머릿속에만 존재했던 박물관에 대응하는 실체를 얻기 위해 본에 베토벤 기념상을 세우려 했다. 작곡가가 태어난 도시에 그의 조각상을 건립하겠다는 발상은 충분히 타당하지만, 여기에는 눈여겨볼 점이 있다. 고작 스물다섯 살밖에 되지 않았고 작곡가로서도 경력을 막 시작한 슈만이 그런 명분에 그토록 많은 에너지를 쏟았다는 사실이다. 그는 『음악신보』를 활용하여

기금을 모으는 한편, 베토벤이라는 존재에 걸맞은 장대한 구조물을 상상하는 ('박물관'만큼이나 엉뚱한) 에세이를 썼다.

하지만 슈만이 베토벤과 그의 세계에 얼마나 깊이 몰입했는지 이해하려면 그가 쓴 글을 떠나 그의 음악을, 특히 〈환상곡〉을 살펴보아야 한다. 이 곡은 베토벤을 기리는 **진정한** 기념비이며, 한 위대한 작곡가가 다른 위대한 작곡가에게 바친 가장 절절한 연애편지다.

가장 위대한 예술작품들이 다 그렇듯, 〈환상곡〉도 여러 면모를 동시에 갖고 있다. 우선 이 곡은 베토벤을 위한 것이다. 슈만은 베토벤 조각상 계획을 지지하며 이 곡을 썼다. 한편 이 곡은 미래의 부인이자 이 곡을 작곡할 때 떨어져 지냈던 클라라를 향한 '애끓는 애가'이기도 하다. 또한 이 곡은 그 이름과는 달리 사실상 소나타에 가깝다. 슈만이 이 곡을 소나타로 명명하지 않은 이유는 더할 수 없이 관용적이고 자유로운 곡의 형식이 전통적인 소나타의 구조 — 당시 그가 유난히 집착했던 — 에 들어맞지 않는다고 느꼈기 때문이다(슈만은 '소나타'라고 이름 붙인 피아노곡을 세 곡 작곡했다. 세 곡 모두 섬세한 손길을 보여주긴 하지만, 구조적인 완성도에서 〈환상곡〉에 미치지는 못하며, 그만큼 감동을 주지도 못한다. 어쩌면 소나타는 슈만에게 살짝 갑갑한 구속이었는지도 모르겠다). 그러나 무엇보다 이 곡은 베토벤으로 대표되는 잃어버린 옛 문화에 대한 (불안에 찬) 성찰이었다.[5]

그런 이유로 〈환상곡〉의 첫 악장에는 원래 '폐허'라는 제목이 붙어 있었다. 1836년까지 남아 있는 고전주의 양식의 흔적을 자랑스럽게 살펴보는 이 악장은 세월이 흐르는 동안 부서져버린 부분도 굳이 감추려 하지 않는다. 저음에서 종소리가 울리며 시작한다. 거대한 종이 울리면 확실한 형태 없이 복잡하게 구성된 음들이 몽글몽글 피어오른다. 이제 그 위로 악장의 주요 악상이 솟구쳐 오른다. 호들갑스럽고 독특한, 열정과 갈망으로 가득한 악상인데, 흥미롭게도 이 주요 악상 역시 형태를 파악하기가 어렵다. 이 개시부가 지닌 의미는 쿠르탁이 자신의 곡 〈미하이 언드라시에게 바침〉에 대해 인상적으로 말했던 바와 비슷하다. 침묵이다. 우리는 여기서 슈만이 확신을 갖고 뭔가를 말한다기보다 적절한 단어를 찾아 더듬거리고 있다는 인상을 받는다.

이런 전개는 듣는 이에게 스릴을 안겨주는데, 그만큼 거칠게 느껴지기도 한다. 뭔가를 이해해야만 한다는 우리 ― 은밀한 청자들 ― 의 열망이 충족되지 않기 때문이다. 이 악상은 집중할 것을 찾아 어슬렁거리며, 명확한 것을 찾으며 울부짖는다.

명확한 이미지는 **대단히** 점진적으로 다가온다. 13분에 이르는 악장 전체에 걸쳐 새로운 버전의 주제가 몇 차례 등장하는데, 그때마다 윤곽이 조금씩 더 날카롭게 다듬어져 있다. 처음에는 명확함이 **결여된** 모습에서 아름다움이 느껴지지만, 이 주제는 조금씩 발전하면서 처음과 다른 매력을 보여준다. 바로 점점 선명해지는 디테일이다. 음이 올라가고 내려오는 방식, 불완전하게 잦아드는 대목 같은 세세한 요소들이 우리를 매혹시킨다. 그런 와중에도 슈만은 화성적으로 쉬어갈 수 있는 지점을 허락하지 않는다. 우리는 곡의 중심 악상이 명확하게 드러나기를 애타게 기다리지만, 그는 계속해서 음악을 우유부단한 상황 속에 둔다.

그토록 기다렸던 해결 — 가장 개방적이고 걸림돌 없는 조성인 C장조로 된 — 은 악장 맨 마지막에 가서야 온다. 이때 주제가 마지막으로 등장하는데, 그 형태가 지금껏 나온 것 중에 가장 순수하다. 이로써 주제의 변형은 완료된다. 흐릿함이 걷히면서 노래의 넉넉함과 찬송가의 단순함을 갖춘 모습이 드러난다. 이제야 카타르시스가 다가오고, 지금까지 이룰 수 없을 것만 같았던 휴식을 얻을 수 있다. 이 구절이 곡에 배치된 위치는 더없이 완벽하다.

슈만의 것이 아니라는 점만 제외하면 말이다.

이 주제는 베토벤이 쓴 것이다.

바로 베토벤의 연가곡집 〈멀리 있는 연인에게〉의 마지막 여섯 번째 노래의 첫 부분이다. 위트와 감동을 모두 다룰 줄 아는 슈만의 드문 재능을 보여주듯, 이 인용구의 가사는 다음과 같다. "이 노래를 받아줘요 / 연인이여, 그대에게 부른 노래이니." 새로운 맥락을 통해 숭고함을 부여받은 이 구절은 〈환상곡〉 악보의 서두에 인용된 시가 가리키는 바와 맥을 같이한다. '조용하게 지속적으로 울리는 음' 말이다. 베토벤이 고지식하여 에둘러 가는 법이 없다면, 슈만은 ─ 내가 생각하기에는 스스로에게조차 ─ 이해할 수 없는 영혼이기 때문에 여기서 '멀리 있는 연인'이 누구를 가리키는지 정확히 알기란 불가능하다. 베토벤일까, 클라라일까? 아니면 〈환상곡〉이 사실상 헌정된 대상인 '은밀한 청자'일까?

이 작품은 이런 해석도 맞고 저런 해석도 맞다고 할 수 있을 만큼 포용적이다. 그러나 나는 슈만의 **진정한** 멀리 있는 연인, 그가 노래를 불러준 대상은 사람이 아니라 과거 자체라고 생각한다. 〈멀리 있는 연인에게〉는 아름답고 매혹적인 곡이지만 걸작은 아니다. 담대한 실험작 ─ 역사상 최초의 연가곡집 ─ 이지만 솔기는 엉성하며 제대로

된 표현을 찾지 못한 작품이다. 그러나 이 연가곡집의 마지막 노래, 원곡에서는 그저 사랑스럽기만 하던 노래는 슈만의 사랑에 힘입어 달라졌다. 그가 이 곡이 나타내는 모든 것에 집요하게 매달림으로써 놀라운 작품으로 승화되었다.

따라서 노스텔지어는 그저 〈환상곡〉의 중요한 특징 중 하나로 머물지 않는다. 노스텔지어는 이 곡의 체계이자 구성 원리다. 오로지 과거만이 자신을 구할 수 있다는 슈만의 슬픈 확신이 이 곡에 의미를 주고 형태를 부여한다.

지금이야 고전음악 작곡가들이 과거에 대해 경배의 태도를 보인다고 아무렇지 않게 말할 수 있다. 종종 살짝 손을 떨게 만들 정도로 영향을 미치기는 하지만 일반적으로 과거에 정서적으로 반응하지 않는다. 그러나 젊은 슈만은 자신이 몸담고 있는 예술 형식이 이미 절정에 도달했을 수도 있음을 자각하면서 커다란 충격을 받았다. 삶의 다른 부분은 그에게 안정감이나 자존감을 주지 못했으므로, 그는 유일하게 자신의 삶에 의미를 주는 작곡에 몰입해야만 한다는 압박감을 느꼈다. 이런 관점에서 볼 때, 슈만이 작곡 경력 내내 어깨너머로 과거를 돌아보며 스스로의 부족함을 절감했다고 생각하면 끔찍하다.

내가 슈만의 〈환상곡〉을 연주할 때, 이런 모든 요소들이 얼마만큼 내 마음에 반영되는지는 모르겠다. 어쩌면 나는 그저 이 곡의 순전한 아름다움과 힘에 반응하는 것일 수도 있다. 하지만 〈환상곡〉은 그 어떤 작품과도 다른 방식으로 내게 영향을 미친다. 이 곡을 연주하고 나면 탈진 상태에 빠진다. 마치 돌려받지 못할 것임을 본능적으로 알면서도 나 자신의 일부를 내어준 듯한 기분이 든다. 그 이유 중 하나는 이 곡이 그려내는 감정의 풍경이 몹시 격렬하다는 것이다. 미묘하고 수수께끼 같은 형식과, 곡이 표현하는 **감정들**이 시종일관 가차 없이 고조되어 있다는 점도 그 이유가 된다. 그러나 동시에 〈환상곡〉은 그야말로 거침없는 상상력의 산물이어서 이 곡이 지닌 가능성에 완전히 몰입하여 연주하는 것은 압도적인 경험이 된다.

그런 몰입을 경험할 수 있어서 나는 음악가가 되었다. 나는 그 몰입을 경험하기 위해 나 자신의 불안정함과 부족함을 하나도 남김없이, 그것도 매일 빤히 들여다봐야 하는 직업을 선택했다. 위대한 작품을 연주할 때는 그렇게 자기 자신을 들여다봐야 한다. 위대함 자체가 연주자에게 무자비한 자기검토를 요구하기 때문이다. 하지만 슈만이 요구하는 자기검토는 곱절로 무자비하다. 음악에서 자기 마음속 가장 내밀한 갈등을 드러내는 그의 방식 때문이다. 슈만 자신이 **스스로를** 향한 의심과 긴밀히 접촉하므로, 연주자 역시 **스스로를** 과민하게 의식하지 않으면 이를 연주할 수 없다. 무한히 흥미로운 동시에 무한히 두려운 점이다.

슈만의 〈환상곡〉을 연주하면 언제나 내 안에 있는 깊은 갈망이 깨어난다. 정확히 무엇을 향한 갈망인지는 모르겠지만, 슈만이 묘사하는 세계와 연관된 것 같다. 어느 순간에는 내 일부처럼 보이다가 또 어느 순간에는 절망적일 만큼 멀리 떨어져 있는 세계. 나는 이런 내 갈망이 슈만의 갈망과 통하는 면이 있다고 생각함으로써 스스로를 추켜세우는 걸까? 나도 그와 비슷하게 과거에 집착하고, 나아가 현재와 틀어진 상태이므로 그의 음악에 더 각별한 감정을 느낄 수 있다고 말이다.

고전음악 연주자는 시간에 관해 혼란을 겪곤 한다. 우리가 연주하는 음악은 실제 시간 속에서 전개되지만, 음악을 연주하는 일은 수수께끼 혹은 연금술처럼 시간 인식을 왜곡시키곤 한다. 게다가 연주자들은 다른 누구보다도 많은 시간을 다른 시대의 음악과 씨름하며 보낸다.

또한 나에게는 **물려받은 기억**이라는 추가적인 문제도 있다. 나는 이야기로만 전해들은 연주를 상상 속에서 구현해 듣곤 했다. 실제로는 들어본 적 없는 연주들이었다. 음악에 관한 내 최초의 기억들 중에는 이런 게 있다. 옛 시대의 음악 작업에 존재했던 무엇인가가 사라졌고, 그건 다시는 되찾을 수 없으리란 것을 처음으로 느꼈던 순간에 대한 기억이다. 이런 느낌 속에서 어린 시절을 보내면 영감을 얻을 수는 있지만 숨이 막힌다. 그 느낌은 내 마음속에 창의성과 용맹함과 자연스러운 예술성을 끊임없이 공급했지만, 그와 동시에 그 모든 일이 헛되다는 생각도 불러일으켰다. 이제는 사라져버린 거장들이 선보인 기준에 부응하는 예술성을 새로 **만들어내는** 것은 애초에 거의 불가능한 일이었기 때문이다.

〈환상곡〉을 들으면 어쩔 수 없이 동류의식을 느끼게 된다. 슈만이 과거에 바치는 박물관과 기념물을 자기 마음속에 만들었음을 알기 때문이다. 나이가 들수록 오늘날의 음악가들을 당혹스럽게 만드는 음악적 의문들에 대한 답을 과거에서 찾을 수 있다는 믿음이 줄어든다. 과거는 갈수록 현실도피처럼 여겨진다. 항상 남의 떡이 커 보이는 법이다. 음악은 시간과 공간을 막론하고 그냥 어렵다. 지독하게 어렵다. 그래도 나는 노스탤지어 속에서 헤맸던 시간들을 사랑한다. 그리고 자신의 노스탤지어에 강렬한 형태를 부여한 슈만의 음악에 항상 고마운 마음을 갖고 있다. 노스탤지어의 공간은 너무 강렬해서 그곳에서 평생을 보낼 수는 없다. 하지만 나는 그곳을 계속 찾아간다. 휘둥그레진 눈으로, 압도당한 채.

* * *

나는 열다섯 살 때 처음으로 슈만의 영혼을 구석구석 둘러보았다. 참혹하면서도 멋진 〈크라이슬러리아나〉를 통해서였다. 여덟 곡의 '환상곡'—〈환상곡〉보다 더 환상적인— 으로 이루어진 〈크라이슬러리아나〉는 이글거리는 눈매를 지니고 있다. 이 곡은 슈만의 저돌적인 모습을 가장 잘 보여준다. 인간관계에 대한 그의 열망이 주요 주제로 승화해 작품 내내 표면에서 끓어오른다. 간혹 열망이 충족되지 못한 채로 물러나는 순간이 있어서 한층 충격적이다. 결혼 전에 작곡된 〈환상곡〉을 비롯한 그의 많은 곡들이 그렇듯, 이 작품도 클라라의 초상이면서 두 사람의 관계에 대한 슈만의 근심을 표현하고 있다. 두 사람의 명성에 커다란 차이가 있었고, 클라라의 아버지가 그들의 결혼을 결사적으로 막았음을 생각할 때 충분히 이해되는 근심이다.[4]

슈만은 30분이 넘는 시간 동안 거대하게 몰아치는 이 작품을 여드레 동안 집중해서 썼다. 명확히 짚고 넘어가자면, 이것은 위대한 소설을 불과 일주일 만에 완성한 것과 맞먹을 정도로 정신 나간 일이다. 슈만은 거의 삽시간에 그토록 강력한 감정을 충분히 구현한 하나의 세계를 창조해냈다. 창조적 충동과 미친 듯한 에너지가 분명 그를 이

런 광적인 작업으로 이끌었을 것이다. 대부분의 인간은 겪어보기는커녕 짐작도 못하는 힘 말이다.[h]

돌아보면 내가 〈크라이슬러리아나〉를 연주하기로 결정한 순간은 내 인생에서 중대한 기점으로 느껴진다. 내게 그날은 예술적 독립을 선언한 순간이었다. 그때까지 나는 작곡가를 막론하고 그토록 폭이 넓은 곡을 연주해본 적이 없었고, 직접 곡을 고를 수 있는 선택권도 거의 없었다. 물론 늘 열심히 노력했다. 하지만 그 무렵까지 내가 배운 음악은 대개 선생님이 고른 것이었다. 하지만 나는 내가 〈크라이슬러리아나〉를 연주해야 한다는 것을 직감했다. 슈만이 그 음악 속에 자신을 표현했듯, 나도 나 자신을 표현하기 위해 그 곡이 필요했다. 지금은 그가 작곡한 대규모 피아노곡 가운데 어느 곡을 가장 좋아하거나 가깝게 느끼는지 딱 집어서 말할 수 없다. 각각의 곡마다 독특한 시정이 있고, 저마다 다른 방식으로 내 안에 들어앉아 있다. 하지만 열다섯 살 때는 세상의 어떤 곡도 〈크라이슬러리아나〉처럼 나에게 말을 걸어오지 않았고 그리하여 나를 대변하지 못했다. 즉각적인 감정과 극단적인 자기성찰이 이례적으로 결합된 이 곡은 사춘기였던 내 자아의 핵심적인 무언가를 건드렸고, 나 스스로는 결코 명확하게 표명하지 못했던 그 무엇에 표현을 부여했다.

이 곡이 소통하고자 하는 감정들은 대부분 극단적이다. 그래서 〈크라이슬러리아나〉의 거의 모든 악장에는 '대단히'라는 표기가 '빠르게', '느리게', '감동적으로', '활기차게' 앞에 붙는다. 그런데 이런 강력하고 확실한 지시어 사이에서 '이니히innig'라는 표기가 눈에 띈다. 이 단어의 의미는 복잡하고 미묘하며, 이 복잡성이 슈만과 그의 음악의 성격에서 절대적인 핵심을 차지한다.

슈만 이전에는 어떤 작곡가도 'innig'를 지시어로 사용하지 않았고, 그 이후로도 이 지시어를 슈만만큼 곧잘 사용한 경우는 없다. 음악용어 사전에 이 말이 등재되어 있다면 오로지 슈만 덕분이다. 대부분의 독일어 단어가 그렇듯, 이 단어도 쉽게 번역되지 않는다. 한 독영 사전은 '친밀한intimate', '소중한dearly', '열렬한fervent'을 번역어로 제안하는데, 이 세 단어가 서로 동떨어진 의미를 갖는 만큼 독일어 원어의 의미와도 거리가 있다. '내부로inward'라고 번역하는 사전도 있지만, 이 경우에는 안쪽이 **아닌** 곳에서 무언가가 시작되었음을 뜻하므로 정확하지 않다. 독일어 '이니히카이트Innigkeit'는 내부와 분리된 바깥세상을 가정하지 않기 때문이다. '내부의interior'라고 옮긴다면 원어가 지닌 의미에 더 가까워지지만, 슈만 음악의 사적이고 유약한 속성을 포착하지는 못한다. 이런 불완전한 선택지 가운데 최고의 선택은 '가장 내밀한innermost'이다. 슈만은 일반적으로는 털어놓지 않을 법한 것을 말하고 있음을 나타내기 위해 이 말을 사용한다. 청자들을 자신의 취약한 내면으로 초대하는 것이다. 〈크라이슬러리아나〉에서 이런 표기가 명백히 붙은 곳은 한 악장밖에 없지만, 심장이 멎을 듯한 **내밀한** 순간들이 작품 곳곳에서 기다리고 있다.

한 음악 작품을 두고 '이글거리는 눈매'를 가진 동시에 '가장 내밀하다'고 표현한다면 역설적으로 들릴 수도 있겠다. 하지만 이 둘은 〈크라이슬러리아나〉의 가장 본질적인 특징들이다. 우선 이 곡이 양극단을 오간다는 의미에서 그렇게 볼 수 있다. 고통이나 분노로 울부짖는 순간들과 내밀함이 적절한 방향을 찾지 못하고 헤매는 순간들이 병존하기 때문이다. 그러나 동시에 주목해야 할 것은 슈만이 지니고 있는 독특한 기질이다.[5] 열정이나 거칢, 너그러움 같은 특징들은 보통 외향성의 범주에 속한다고 간주되지만, 슈만에게 있어서는 내적 특징으로도 볼 수 있다는 것이다. 그는 의심의 여지없이 마음을 툭 터놓지만—그의 음악은 더할 수 없이 개방적이다—청자를 **자신의** 마음속에 들어오도록 초대한다는 의미에서만 그러하다. 지나치게 소심하고 억압돼 있는 슈만은 먼저 청중에게 다가가지 못한다. 그의 음악이 특별히 '은밀한 청자'에게 더 크게 와닿는 이유가 바로 이것이다. 그의 음악은 모든 감정들을 꼭 움켜쥐고서 어떤 감정도 전달한다. 〈크라이슬러리아나〉가 가장 저돌적인 슈만의 모습을 보여준다는 말은 그의 내밀함이 전면적이고 당당한 표현을 부여받는다는 뜻이다.

슈만은 삶의 모든 요소가 내면의 문제로 귀결되는 사람이었다. 그는 '내적인 것'에 **탁월했고**, '외적인 것'은 문제로 여겼다.

1844년, 결혼 4년차였던 슈만 부부는 클라라의 공연 때문에 함께 러시아에 간 적이 있었다. 로베르트와 그의 음악을 더 많은 청중에게 소개할 수 있는 좋은 기회였다. 그의 음악은 상당히 괜찮은 평을 들었지만, 작곡가 자신은 좋은 평을 얻지 못했다. 슈만 부부를 위해 마련된 저녁식사 자리에서 그가 보여준 행동을 설명한 아래의 글은 그의 성격을 잘 보여준다.

"슈만은 평소처럼 저녁 내내 말이 없고 내향적이었다. 대단히 드물게만 말을 했고 [그에게] 질문을 하면 거의 알아들을 수 없이 웅얼거렸다. 그보다 며칠 전에 상트페테르부르크에 도착한 유명한 바이올리니스트 몰리크와는 그나마 대화라고 할 만한 것을 나누었지만, 이

또한 활력이나 생기가 없이 귓속말로 진행되었다. 슈만은 피아노 옆의 모퉁이에 앉아 있었다. …… 고개를 숙이고 머리카락을 얼굴에 늘어뜨린 채, 수심에 잠긴 표정으로 금방이라도 혼잣말을 할 것 같은 분위기였다."[6]

어떤 글이 표현하지 않은 내용은 그 글이 표현한 것만큼이나 많은 것을 알려준다. 특별히 냉정한 관점으로 보더라도 슈만은 재미없거나 쌀쌀맞은 사람은 아니다. 그는 '내향적'이고 '수심에 잠겨' 있을 뿐이다. 슈만을 면밀히 주목한 사람들은 그에게서 사교 기술의 부족함 외에 다른 특성을 발견했다. 무척 깊은 내면을 갖고 있지만, 그것을 전혀 밖으로 드러내지 못하는 사람이라는 것이었다. 어쩌면 사람들은 슈만의 행동이 그의 진짜 내면과 일치하지 않음을 알아차렸을 수도 있지만, 그렇다고 문제가 해결되지는 않았다. 슈만의 행동은 사람들의 동정을 샀고, 예민한 감수성을 가진 그는 다른 사람들이 자신을 어떻게 바라보는지 정확히 알고 있었을 것이다.

슈만이 소통에 어려움을 겪은 상대는 낯선 이들만이 아니었다. 그는 자신의 부인과도 놀랄 만큼 말을 나누지 않은 것으로 유명했다. 슈만 부부는 확실히 역사상 손에 꼽을 만큼 기묘한 부부였다. 어떤 면에서 그들은 사이가 무척 좋았고, 서로를 세상에 둘도 없는 사람으로 여긴 듯하다. 클라라는 남편의 음악을 세상에 알리는 십자군의 역할을 자처했다. 그녀는 슈만의 음악과 내면을 진정으로 이해하는 사람은 자신밖에 없다고 여겼고, 자신보다 남들이 남편의 작품을 연주할 때 더 큰 행복을 느꼈다. 또한 슈만역시 클라라에게 철저히, 돌이킬 수 없을 정도로 반했다. 그가 클라라에게 결혼 선물로 준 「헌정」이라는 노래의 가사는 (뤼케르트가 쓴 것이긴 하지만) 슈만의 감정을 단적으로 보여주고 있다. "그대는 나의 영혼, 나의 심장 / 그대는 나의 기쁨, 나의 고통 / 그대는 내가 사는 세상 ……그대는 하늘이 내게 내려준 선물 / 그대가 나를 사랑하니 내가 그대 사랑을 받을 가치가 있는 사람이 되었네 ……나의 선량한 정신, 보다 나은 나!"

하지만 그들은 서로 말을 거의 나누지 않았다. 함께 집에 있으면서 의미 있는 대화를 나누지 않고 지나가는 날들도 있었다. 대화를 대신해 슈만 부부가 소통에 사용한 주요 수단은 공동으로 작성한 일기였다. 내용을 살펴보면 깜짝 놀랄 정도다. 두 사람의 불만(아주 소소한 불만도), 서로에 대한 기쁨, 버려지고 소외될 수도 있다는 두려움 등이 너무도 일상적인 집안일의 기록과 함께 소상히 적혀 있다. 요컨대 그들은 보통의 부부라면 말로 했을 내용들을 일기장에 썼다.

슈만이 자신의 감정(그 밖의 모든 것도 마찬가지였다)을 말로 표현하는 것을 극도로 어려워했음을 생각할 때, 결혼 일기는 좀 이상해 보이기는 해도 둘의 관계를 이어가는 데 꼭 필요한 것이었다.[7] 하지만 이 일기에는 필수적인 역할이 하나 더 있었다. 예술적 표현을 종교처럼 여겼던 슈만 부부에게 일기는 창조적인 에너지를 발산하는 분출구였다. 역사적 사료로서의 가치를 제외하면 일기의 대부분은 그야말로 따분한 내용들이다. 그럼에도 부부는 우직하게 일기를 계속 써나갔고, 그럼으로써 자신들의 결혼 생활 자체를 일종의 예술적인 행위로 간주하고 있음을 드러냈다. 슈만 부부는 삶 속에서 벌어지는 사건들과 감정들을 그저 안고 **살아가는** 것만으로는 만족하지 못했다. 그 일들을 글로 적는 수고가 꼭 필요했다. 어떤 경험이건, 그것을 표현하는 단어를 찾아 기록하는 수고를 거치고 나야 비로소 그 경험이 실체와 힘을 갖게 되기 때문이었다. 예술을 향한 이 부부의 신념은 항상 삶에 대한 신념보다 앞섰다.

슈만은 역사상 어떤 작곡가보다도 글쓰기를 중요하게 여겼지만, 그래도 가장 중요한 분야는 음악이었다. 그에게 예술이 종교라면, 음악은 최고의 신전이었다. 다시 말해 로베르트와 클라라 사이에서 가장 **의미 있는** 소통 수단은 결혼 일기가 아니라 음악이었다.

그런데 이 두 가지 소통 방식의 경계는 생각보다 그렇게 뚜렷하지 않다. 슈만에게 음악은 궁극적인 일기와도 같았다. 음악과 글을 포함해 사실상 슈만이 출판한 모든 것들은 어떻게 보면 클라라에게 바친 연애편지다. 특히 그의 음악은 그녀만 알아볼 수 있었던 암호와 메시지로 가득하다. 일례로 피아노 협주곡 — 그가 의도한 대로 클라라의 명함이 된 작품 — 의 주요 주제에는 그녀의 이름 철자를 음악적인 형태로 바꾼 선율이 들어 있다. 피아노곡 〈사육제〉의 한 악장에는 '키아리나'라는 제목이 붙어 있는데, 이 이름은 슈만이 클라라를 부를 때 쓰는 애칭이었다. 소리로 만든 이 초상화에는 친밀함과 열정이 듬뿍 묻어 있다.

그런데, 이 음악적 초상화에는 5도의 문제가 있다.

클라라 슈만은 대단한 피아니스트였을 뿐만 아니라 — 물론 그녀의 연주를 담은 녹음이 남아 있지는 않지만, 그녀가 거둔 커다란 성공은 출중한 실력이 아니고서는 설명이 되지 않는다 — 상당히 훌륭한 작곡가였다. 어쩌면 훨씬 더 좋은 작곡가가 될 수도 있었겠지만, 19세기에는 여성 작곡가에 대한 편견이 엄청났기 때문에 그녀는 작곡가로서는 더 성장하지 못했다.[8] 하지만 그녀는 (특히 경력 초기에) 작곡에 많은 관심을 쏟았다. 이는 슈만 부부가 유례없이 끈끈한 예술적 유대감으로 뭉칠 수 있었던 중요한 요인이었다. 그는 클라라가 작곡한 모티프를 〈다윗동맹무곡〉과 〈인터메초〉의 기초로 사용했다. 대체로 그는 클라라가 만든 선율을 더 매력적이라고 여겼다.

그중에서 특별히 하나의 음렬이 슈만의 뇌리에 꽂혔다. 그 음렬이 준 영감에서 사방으로 뻗어가는 슈만의 소나타 f단조가 탄생했다. 이 곡은 슈만이 소나타 분야에서 이룩한 가장 야심찬 성과로, 광기에 차 있고 불완전한데도 눈을 떼지 못할 만큼 매력적이다. 그런데 이 소나타의 중간에 너무하다 싶을 만큼 단순한 주제가 나온다. 5도로 하강하는 음이 느린 행진곡 리듬에 맞춰 연주되는데, 묘하게 숙연한 힘을 지니고 있다. 이 부분이 바로 클라라가 작곡한 주제로, 이 선율은 이후 변주들의 기초로 활용된다. 슈만은 클라라가 작곡한 본래 주제의 간소함을 유지하면서 그 안에서 다양한 표현적 가능성을 발견한다. 클라라의 주제는 그의 손을 거치면서 불안정한 모습, 그리워하는 모습, 장난기 많은 모습으로 변한다. 그리고 마지막으로 전적으로 고뇌에 찬 모습이 등장한다. 클라라는 그 짧은 선율을 통해 슈만으로부터 그 모든 감정을 끌어낸 것이다.[i]

어떻게 그런 일이 가능할까? 5도는 가장 소박하고 가장 흔하게 사용되는 음정이다. 불협화음을 나타내지 않으며 특별한 이야기를 전하지도 않는다. 그럼에도 슈만에게 그 선율은 그의 삶에서 다른 어떤 존재도 넘볼 수 없는, 가장 중요한 여인을 나타내게 되었다. 이 5도 선율은 이후 슈만의 수많은 작품 속에서 표지판 역할을 한다. 하강하는 5도가 등장하면 감정이 고조되고 심장박동이 빨라진다. 베토벤을 향한 맹목적인 애정이 담긴 〈환상곡〉 맨 앞에 5도가 있다. 수줍게 연모의 눈길을 던지는 현악 사중주 A장조의 시작 부분에도 있고, 피아노 삼중주 F장조의 3악장에서 불행에 빠져 주춤거리는 동화를 다잡아주는 선율도 이것이다.

그리고 〈크라이슬러리아나〉는 온통 5도로 가득하다. 여덟 개 악장 거의 모두에 '클라라' 5도 — 이 음정을 들을 때면 내 마음속에는 애틋함을 담아 둘째 음절을 길게 늘여 부르는 '클라라'가 떠오른다 — 가 등장하며, 그때마다 매번 중요하고 독특한 변화를 미리 예고한다. 이 선율은 2악장에서는 격렬하게 치닫는 순간을, 4악장에서는 몽상 속에 드리운 '목표'의 자취를, 7악장에서는 재앙이 확정되었음을 알려준다. 〈크라이슬러리아나〉는 음악 작품이 나타낼 수 있는 온갖 감정의 영역을 모두 다루는 곡이며, 그 감정들 사이의 기복이 사실상 곡의 정체성을 형성한다. 오로지 '클라라' 5도만이 곡의 흐름에 개의치 않고 반복적으로 등장하며, 이러한 반복은 〈크라이슬러리아나〉를 탄생시킨 힘이 오직 하나뿐임을 증언한다. 바로 클라라가 슈만에게 일으킨 감정의 타래다.

슈만의 음악은 강렬하고 호소력이 크다. 그래서 이런 복잡한 내용을 몰라도 효과를 발휘한다. 하지만 슈만이 온갖 종류의 암시들을 **좋아했다**는 것은 틀림없는 사실이다. 그는 평생 비의적이거나 문학적인 것에 매혹되었고, 이 둘이 결합하면 금상첨화였다. 어떤 위대한 기악음악 작곡가도 슈만만큼 언어에 관심을 보이고 거기서 영감을 얻지는 못했다. 그의 음악을 묘사하는 글들은 한결같이 '시적poetic'이라는 단어를 사용한다. 선율 라인의 굴곡과 세부적인 요소들을 세련되게 살리는 슈만의 솜씨를 묘사하기 위해서다. 그는 **무엇을** 말하는지보다 **어떻게** 말하는지가 더 중요할 때가 많은 최초의 작곡가다.

같은 이유로 그의 음악은 구조적인 엄밀함이 떨어진다는 비판을 받기도 한다. 하지만 시가 다른 종류의 글들과 다르듯이, 슈만의 음악도 아예 종류가 다른 지지대 위에 서 있다. 슈만은 오직 소우주들만 가지고도 거대한 규모의 곡(대표적으로 〈크라이슬러리아나〉)을 쓸 줄 알았고, 서로 다른 분위기가 필연적으로 이어지도록 곡을 구성하는 데에 비범한 재능이 있었다(특히 이 재능은 어떻게 작동하는지 말로 설명할 수가 없다). 슈만은 사실상 감정이 고조된 순간들이 쭉 이어지는 식으로 구성된 대곡을 쓰면서 모더니즘을 내다봤다. 비단 음악에 한해서가 아니다. 의식의 흐름 기법으로 쓰인 버지니아 울프나 제임스 조이스의 소설을 읽을 때면, 나는 슈만의 음악을 들을 때처럼 어찔어찔하다.

당연하게도 그와 같은 시대를 보낸 작가들이 슈만에게 가장 깊은 인상을 남겼다. 장 파울과 E. T. A. 호프만은 그에게 베토벤과 슈베르트만큼이나 중요한 인물이었다. 실제로 〈크라이슬러리아나〉는 곡의 구조와 영감, 심지어 제목까지도 호프만에 빚지고 있다. 호프만의 대표작 중 세 작품에 주인공으로 등장하는 인물의 이름이 요하네스 크라이슬러다. 호프만은 그를 자신의 분신으로 여겼다. 하지만 늘 불만이 많고 사교성이 부족한 작곡가의 모습을 하고 있는 악장 크라이슬러는 현실에서는 슈만에 훨씬 더 가까웠다. 호프만의 진지한 기행奇行 역시 슈만과 딱 어울렸다. 크라이슬러의 전기傳記와 그가 키우는 고양이의 전기(!)가 교차되는 『수고양이 무어의 인생관』이라는 소설을 가져다가 〈크라이슬러리아나〉와 같은 심오한 작품으로 탈바꿈시킬 사람이 누가 또 있겠는가? 오직 슈만뿐이다. 그는 극단적으로 다른 성격을 지닌 채 서로 경합하는 여러 목소리들이 사실은 똑같은 이야기를 하고 있음을 암시하는 작품을 만들어냈다.

〈크라이슬러리아나〉가 호프만의 소설을 면밀히 따랐을 수는 있다. 하지만 학술적인 방식으로 차용하지는 않았다. 슈만은 그저 자신과 비슷한 영혼을, 자신의 상상력을 마음껏 펼칠 수 있는 아이디어를 알아본 것이다. 〈크라이슬러리아나〉는 극단적으로 무언가를 탐구한다. 하지만 그 탐구의 대상은 원작자인 호프만이 아니며, 허구의 인물 크라이슬러나 그의 고양이도 아니다. 이 집요한 탐구는 다름 아닌 슈만 자신의 극단적인 성격을 반영한다. 슈만의 모든 음악이 그렇듯이 이 작품도 작곡가의 내부에서 나온다. 아무리 풍부한 감정을 전달하더라도, 슈만의 음악은 그의 내부에 **속한다**.

음악은 맨 처음 생겨날 때부터 일종의 언어와 같았다. 항상 문법과 억양과 목적이 있었다. 그러나 음악이 일기가 된 것은 슈만에 와서 일어난 일이다. 그에 이르러 음악이 이전보다 훨씬 풍부해졌다거나 의미를 더 많이 부여받았다고 말하는 것은 적절치 않다. 그보다는 차라리 이렇게 표현하는 것이 낫다. 슈만은 음악을 구원이자 생명줄로 삼은 첫 번째 작곡가라고. 그에게는 오직 음악만이 자기 뜻대로 할 수 있는 **유일한** 말의 형식이어서, 즉 자신의 유일한 목소리여서 음악을 작곡했다. 〈크라이슬러리아나〉에 담긴 열정, 시정, 공포는 그의 삶에 부록처럼 주어진 요소들이 아니었다. 음악은 그의 삶의 경험 **자체였다**.

〈크라이슬러리아나〉가 십대 시절 내게 그토록 없어서는 안 되는 동반자였던 — 지금도 여전히 그러한 — 이유가 바로 이것이다. 내가 기억하는 한, 음악은 항상 내가 마음껏 몰입할 수 있는 세계였다. 이런 점에서 나는 스스로를 대단한 행운아라고 생각한다. 아홉 살 때 옥타브를 제대로 짚지도 못하는 손과 페달에 닿을락 말락 하는 발로 〈어린이 정경〉을 연주하려고 했을 때도 음악은 내게 풍부하고 경이로운 삶의 공간이었다. 음악과 나의 관계는 세월이 흐르면서 당연히 발전했지만, 강렬함에 있어서는 항상 그대로다. 음악이 나를 집어삼키지 **않았던** 적이 과연 있었는지 생각나지 않는다.

이런 관계는 크나큰 위험이 내재된 선물이다. 음악이 다채롭고 생명력이 넘치는 경험을 선사할수록 현실은 상대적으로 창백하게 보일 수 있다. 아이였을 때 나는 쉽게 생각했다. 순전히 음악만 가지고도 살 수 있을 것 같았다. 십대 시절에는 음악이 선사한 영광을 삶 속에서 계속 벌어지는 실망스러운 일들과 나란히 저울질하고, 그 과정에서 갈수록 깊은 환멸을 느끼려는 유혹에 시달렸다.

그 당시 내 삶으로 들어온 〈크라이슬러리아나〉는 너무나도 고마운 존재였다. 슈만의 일기는 내 일기가 되었고, 그에 힘입어 어딘가 어긋나고 시대를 잘못 타고난 것 같은, 딱히 뭐라고 말할 수는 없지만 불만족스럽게 느껴졌던 내 일부가 목소리를 낼 수 있었다. 슈만의 음악은 이런 불만을 표출하게 만들고 그 과정에서 위안을 준다. 그의 천재성이 드러나는 부분이다. 그의 음악은 현실인 동시에 거기서 벗어나는 탈출구이며, 고통인 동시에 이를 치료하는 향유의 역할을 한다. 내 음악적 경험과 삶의 경험 간의 불일치는 오랫동안 지속되었지만, 적어도 〈크라이슬러리아나〉를 연주할 때는 둘이 맞서지 않고 절대적인 하나가 되었다.

모든 인간은 필연적으로 외로움을 인식한다. 역설적이게도 '외로움'은 인간의 보편적인 경험이다. 그러나 음악가들은 매일의 삶과 작업 속에서 이 사실을 직시해야 한다. '외로움'의 경험은 우리의 연주에서 드러나고, 많은 경우, 우리가 **왜** 연주하는지를 말해준다. 감히 말하건대, 피아니스트들은 다른 어떤 음악가보다도 이런 현실을 더 많이 떠안고 살아간다. 수없이 많은 위대한 음악들을 혼자서 연주하기 위해 정신건강을 위협할 정도로 많은 시간을 자신의 머리와 가슴 안에서 보내는 음악가는 오직 피아니스트뿐이다. 그토록 많은 피아니스트들이 슈만에게 단순한 이해와 애정을 넘어 각별한 애착을 느끼는 이유는 — 슈만의 피아노곡의 탁월함이 아니라 — 바로 이러한 고립감 때문일 것이다. 완전히 외로운 우리의 일부. 이것이 슈만이 음악적 일기를 작곡하면서 고심했던 부분이다. 그는 외로움을 다룰 때는 얼버무리거나 포장을 하지 않는다. 그의 내밀함Innigkeit은 우리에게 주어진 이상하고 아름다운 선물이다.

* * *

슈만이 나이를 먹으면서 이런 내밀함이라는 '선물'은 갈수록 이상해졌다.

슈만의 음악은 그의 사적인 생각들을 기록한 것이므로, 우리에게는 위대한 지성의 수레바퀴가 어떻게 구르는지 목격할 수 있는 소중한 기회가 된다. 슈만이 말년에 접어들었을 때, 그 수레바퀴의 형태는 변함이 없었다. 하지만 바퀴는 더 멈칫거렸고, 돌리는 데 더 많은 힘이 들어갔다.

기교를 자랑하는 연주는 사라진 지 오래였다. 슈만

은 평생 화려한 기교와 불편한 관계를 보였다. 그가 성년이 되었을 때는 리스트를 필두로 정복자처럼 곳곳을 순회하는 독주자가 막 유행하기 시작하던 무렵이었다. 슈만은 자신이 그런 기교파가 되지도, 그런 기교를 만족시키는 음악을 작곡하지도 못하리라는 것을 본능적으로 알고 있었음에 틀림없다. 그럼에도 그는 시도했다. 그는 무시무시하게 엄격한 클라라의 아버지 프리드리히 비크에게서 수년간 피아노를 배우며 기교를 연마하려고 노력했다. 그러나 언젠가 손가락 힘을 키우려고 중세 기구처럼 생긴—아마도 서툴게 디자인되었을—장치를 사용하다가 돌이킬 수 없는 부상을 당하면서 기교를 연마하는 노력을 완전히 접게 되었다. 한편, 슈만은 가끔 사람들에게 먹히는 스타일의 곡을 쓰려고 의식적으로 노력하기도 했다. 그렇게 해서 나온 작품들은 평소보다 그의 성격이 덜 묻어났을뿐더러, 심지어 다른 곡들보다 사람들에게 더 쉽게 다가가지도 못했다.[9] 그럼에도 오랜 세월 동안 그의 내면은 대중의 갈채를 받으려는 욕망과 싸웠다.

말년의 작품에 이르러 그런 갈등은 해결되었다. 빼곡히 들어찬 음들이 빠르게 진행될 때도 있지만, 화려하게 빛나기 위해서 마련된 순간은 아니다. 대신 그곳에는 보다 슈만다운 특징들이 들어서 있다. 그 가운데 하나가 조용하

고 과시적이지 않은 종교성이다. 악장은 '아멘' 종지라고
도 하는 변격 종지로 끝날 때가 많으며, 악상에는 계시적
인 특징이 자주 등장한다. 음들이 지면 위로 떠다니며 지
도에 나오지 않은 뭔가를 찾고 아직 일어나지 않은 뭔가
를 꿈꾼다.

　나는 왼쪽 눈이 심각한 근시여서 안경을 벗으면 이중
으로 보인다. 오른쪽 눈은 벗어도 그럭저럭 비슷하게 보이
지만, 다른 광경이 몇 센티미터 옆에서 떠다닌다. 이 두 번
째 시야는 초점이 흐리다. 오른쪽 눈과 똑같은 사물을 보
지만, 그 모습은 항상 흐릿하고 윤곽이 희뿌옇다. 당연히
오른쪽 눈의 초점이 훨씬 더 유용하다. 하지만 나는 왼쪽
눈의 몽상에 빠져 허덕일 때가 자주 있다. 그 추상적이고
독특한 시야는 곧이곧대로 받아들이는 반대편에 못지않
게 현실적으로 느껴지곤 한다.

　말년의 슈만이 선사한 소리는 내 왼쪽 눈의 시야 같
다. 시간과 공간에 대한 관습적인 개념에 전혀 개의치 않
는다. 말년의 슈만은 그를 처음부터 사로잡았던 모든 것들
을 질릴 정도로 신실하게 표현하지만, 그것을 쉽게 이해
되는 음악적 공용어로 전하려는 노력은 더 이상 하지 않
는다. 말하자면 〈환상곡〉이나 〈크라이슬러리아나〉에서
명확성 내지는 객관성을 확보하려는 모든 시도를 뺀 듯한

음악인 것이다. 이런 음악은 독보적인 상상력을 전적으로
받아들일 것을 (사실상 강압적으로) 요청한다.

아니나 다를까 슈만의 후기 곡들은 계속해서 무시되
어 왔다. 슈만에 관한 오해 가운데 가장 집요한 것은 말년
으로 갈수록 그의 음악이 흐트러지는 모습을 보인다는 주
장이다. 나는 이 말을 자주 듣는다. 그리고 그때마다 화가
치민다.

슈만의 취약함은 그의 가장 본질적인 특징이며, 그 특
징은 그가 나이가 들수록 점점 더 강해진다. 그의 후기 곡
에서는 어떤 것도 쉽게 말해지지 않으며, 이는 대체로 듣
는 사람까지 불안에 빠뜨릴 수 있다. 그러나 음악이 말할
수 없는 것을 말하기 때문이 아니라면 우리는 도대체 왜
음악을 듣는 것인가? 슈만이 말년에 추구한 소리는 감정
이 우리를 침묵시킬 때 우리가 머릿속으로 듣는 소리다.
그 소리 속에서 하나로 결합된 연약함과 슬픔은 우리가
감내할 수 있는 수준을 거의 넘어선다. 이 같은 음악은 애
초에 편안해지라고 만든 게 아니다. 이 고통이 바로 음악
이다. 사실 우리는 음악의 목적을 알고 있다. 우리는 음악
을 통해 기꺼이 혼란에 빠지고 나아가 정처 없이 떠도는
기분을 느끼기를 원한다. 다만 우리에게는 언어로든 다른
수단으로든 그 느낌을 표현할 수 있는 재능이 없을 뿐이

다. 그런데도 음악의 목적에 부합하는 슈만의 특별한 재능이 환영받지는 못할지언정 조롱당하는 모습을 보면 착잡해진다.

슈만의 마지막 작품으로 피아노와 클라리넷, 비올라를 위한 〈동화그림〉이 있다. 누구보다 예민한 영혼인 쿠르탁이 오마주했던 작품이다. 말년의 슈만에 대한 흔한 비판 중 하나는 리듬이 단조롭다는 것이다. 특정한 패턴에 집착한 슈만이 아무런 변화도 주지 않고 그저 똑같은 악상을 되풀이한다는 지적인데, 〈동화그림〉의 3악장은 확실히 그렇게 보인다. 몇 분 남짓한 연주 시간 동안 피아노는 16분음표 하나도 빼먹지 않고 똑같은 구절을 반복한다. 70마디 전체가 시종일관 똑같은 움직임으로 전개된다. 그러나 이 70마디는 줄달음치는 하나의 문장이 아니다. 은실을 뽑아내듯 영원히 멈추지 않고 이어지려는 노래다. 아무것도 **말하지 않는** 것처럼 보이면서 엄청나게 많은 이야기를 담고 있는 이 구절은 약간의 흔들림조차 없이 차분한 분위기를 만들어낸다.

이 악장은 내가 아는 가장 슬픈 음악이기도 하다. 더는 도움의 손길을 구할 수 없을 때 위안을 구하는 음악이다. 클라리넷과 비올라가 매끈하게 주고받는 대화는 주로 하나의 악구를 반복하는 식으로 구성되는데, 반복될 때마다 조금씩 더 절묘해지고 애절해진다. 네 마디에 걸친 모티프는 마치 지상에 없는 무엇을 찾듯 계속해서 상승한다. 단 한 번의 예외가 있는데, 바로 탄식과도 같은 클라라 5도다. 「헌정」이 클라라를 향한 사랑을 고백한 노래였다면, 이 악장은 고백했던 순간의 기억을 묘사한다. 열정을 드러내기에는 너무도 내향적이어서, 침묵으로 노래하고 마는 회상이다.[j]

이보다 더 내향적이고 말없는 음악은 여러 악장으로 구성된 그의 마지막 피아노곡 〈새벽의 노래〉다. 분명하고도 강렬하게 새벽을 묘사한 음악이지만, 슈만은 악보 서두에 "음화音畫가 아니라 감정의 표현에 가까운"이라고 적었다. 이것은 베토벤이 행여 표제음악으로 오해할까 봐 자신의 〈전원〉 교향곡에 대해 했던 말과 글자 하나까지 똑같다. 슈만이 이것을 몰랐을 리가 없다. 결국 그는 〈새벽의 노래〉를 작곡하면서 여전히 자신만의 모호한 방식으로 과거를 돌아보려 했던 것이다. 놀라운 일이다. 왜냐하면 이 음악은 더할 수 없이 **앞을** 내다보고 있기 때문이다. 이 곡은 베토벤과 관련된 흔적은커녕, 슈만 자신조차 이해하지 못했을 법한 음악언어로 가득 차 있다. 하지만 슈만의 음악은 가장 진보적이고 관습에 얽매이지 않았을 때조차 그의 노스텔지어와 거기에 따르는 불안을 떨쳐내지 못했다.

슈만이 악보 서두에서 베토벤을 가리킨 것은 다소 생뚱맞지만, 그가 전하려는 메시지는 더없이 적절하다. 궁극적으로 〈새벽의 노래〉는 감정에 관한 곡 이상도 이하도 아니기 때문이다. 좀 더 상세히 말하자면 하루의 시작에 여명과 함께 경험하는 감정들이다. 혼란, 희망찬 기대, (늘 당연히 등장하는) 취약함, 순진하게 마음을 열었다가 날이 밝으면서 방어적인 자세를 다잡는 태도. 팽팽한 긴장감을 불러일으키는 동시에 초점이 무척 모호한 이 곡은 슈만의 음악이 가장 잘하는 것을 한다. 침묵을 지키는 우리의 일부를 대신하여 울어주는 것이다. 온 힘을 다해 우는 이 곡을 들으면 감정이 폭풍처럼 차오른다.[k]

이 놀라운 작품은 과소평가를 받고 있다는 말로는 부족하다. 이 곡은 아예 세간의 평가 대상에서 제외되었다. 슈만의 곡들은 피아니스트들에게 있어 일용할 양식과도 같은 쇼팽의 곡들만큼 친숙하지는 않지만, 그래도 〈크라이슬러리아나〉와 〈환상곡〉 같은 작품은 인기 레퍼토리로 확고하게 자리를 잡았다. 하지만 이런 곡들을 교습의 일부로 배우는 피아노 전공자들도 〈새벽의 노래〉는 존재조차 모르는 경우가 많다. 슈만 정도의 위상을 가진 작곡가가 쓴, 이토록 견실하고 마음을 사로잡는 작품이 어째서 이토록 철저하게 외면당할 수 있는지 나는 이해할 수가 없다.

음악은 무엇보다 사건들, 그러니까 음악 안에서 벌어지는 일들로 규정된다. 어쩌면 이 점이 〈새벽의 노래〉가 주목받지 못하는 이유일 수 있다. 이 작품을 평가하기가 어려운 것은 그 안에 사건들이 거의 **없기** 때문이다. 다섯 악장 모두 각기 하나의 악상을 중심으로 돌아가는데, 사건이 발생하지 않는다고 해서 이 악상들이 발전하지 않는다고 말할 수는 없다. 악상들은 배회한다. 이러한 모습은 슈베르트의 후기 작품들에서도 보이는 특징이다. 하지만 슈베르트의 악상은 뭔가를 찾아 배회한다. 새롭고 낯선 곳으로 떠나는 여행이다. 하지만 〈새벽의 노래〉는 훨씬 과감하다. 슈만은 아무런 목적 없이 그 배회를 내버려두기 때문이다. 어떤 **감정**을 표출하겠다는 대담한 목표가 존재하지만, 정작 그 목표 혹은 종착지에 다다르지 않는다. 곡을 시작하는 5도—이번에는 상승했다가 하강한다—에서 곡을 끝마치는 D장조 화성의 화관花冠까지, 시간은 느리게 흐르고 목적은 계속 유예된다. 조급하지도 평온하지도 않으며, 아름다움을 활짝 드러내 보이지도 않는다. 마지막 순간은 안개에 휘감긴 채 허약하게 서 있다. 처음 시작했을 때처럼.

어쩌면 이 곡의 제목은 끔찍한 완곡어법인지도 모른다. 나는 슈만이 인생의 황혼에 이르러 새벽에 관한 음악을 작곡했다는 사실을 떠올리면 더없이 뭉클해진다. 그래서 이 작품을 더욱 아낀다. 하지만 〈새벽의 노래〉를 연주하려면 많은 힘이 든다. 이제까지 내가 살아오면서 알지 않으려고 애썼던 진실이 그 안에 담겨 있는 것만 같다. 슈만의 음악은 대부분 그의 내면 가장 깊은 곳에 있는 불안을 탐구한다. 이 점은 새롭지 않다. 하지만 〈새벽의 노래〉에 넘쳐흐르는 지점이 전혀 없다는 것은―달리 말해 거의 아무 일도 벌어지지 않는다는 것은―중심을 잡아줄 무게추가 없다는 뜻이기도 하다. 결국 이 곡에 드리워진 어떤 예감이, 그 어둠이 두려움으로 바뀌는 순간에 나를 붙잡아줄 만한 장치가 없다. 이 음악을 제대로 대하려면 벼랑에 서야 한다. 거기에서는 각자 버틸 수 있을 만큼만 서 있을 수 있다.

* * *

1854년 2월 23일, 슈만은 〈새벽의 노래〉를 완성했다. 그리고 나흘 뒤에 라인 강에 투신했다.

그는 죽지 않았다. 어부들에 의해 강제로 물 밖으로 끌려 나왔다. 그러나 그는 다시는 회복하지 못했다. 바로 다음 날 스스로의 의지로 근처 엔데니히에 있는 정신병원에 들어간 슈만은 이후 2년 반 동안 점점 상태가 나빠졌고—그동안 그는 사실상 아무것도 작곡하지 못했고 클라라와의 면회도 금지되었다—1856년 7월 29일에 세상을 떠났다.

낭만주의 시대의 한복판에 있던 미친 천재 슈만의 죽음은 끊임없는 추측을 불러일으켰다. 수은 중독설, 매독설, 조울증설…… 사실일 수도 있겠지만, 이런 추측들은 그의 죽음을 둘러싼 슬픈 본질을 가릴 뿐이다. 바로 삶이 슈만에게 너무도 버거웠다는 사실이다.

엔데니히에서 무기력하게 환각에 시달렸을 슈만을 생각하면 씁쓸해진다. 그토록 대단한 인물에게는 너무도 굴욕적이었을 말년에 대해 많은 글들이 쓰였다. 하지만 내게는 그보다 더 가슴 아프게 느껴지는 일이 있다. 슈만이 자신의 음악을 통해 영원토록 표명했던 '취약함'에 그가 결국 굴복하고 말았다는 것이다. 음악은 슈만의 일기이자 목소리였고 위안이었지만, 그런 음악조차 슈만을 구하지는 못했다.

나는 이 지점에서 슈만과 갈라선다. 연주자로서 나는 그의 내면으로 초대받는다. 슈만이 자신의 내면을 소리로 옮기는 방식은 놀라울 만큼 기이하며, 그 압도적인 능력은 내게 강렬한 경험을 안겨준다. 물론 나는 그 강렬함이 위험한 수준에 다다르면 거기에서 떠날 수 있다. 하지만 슈만에게는 자신이 음악에 쏟아냈던 고통과 혼란에서 벗어날 수 있는 탈출구가 없었다. 그는 몽환적이고 황폐한 자신의 마음속에 영원히 갇혀야 했다.

그래도 나는 슈만이 그 정도로 삶을 견뎌내 주었음에 감사한다. 그렇지 않았다면 외로움이라는 주제를 완전히 새롭게 조명한 그의 음악은 존재하지 못했을 것이다. 하지만 이런 생각은 내게 죄책감을 안겨준다. 어떻게 감히 다른 사람이 평생토록 받은 고통을 개인적인 혜택으로 여길 수 있을까? 그러면서 스스로를 슈만의 옹호자라고 일컫다니! 나는 어떻게 이토록 잔인할 수 있을까?

가끔은, 슈만 자신이 이렇게 되기를 원했을 거라고 말하면서 나 자신을 달랜다. 많은 작곡가들이, 자신의 음악이 이해되고 **알려져야** 한다는 강렬한 열망을 창작의 동기로 삼는다. 슈만의 경우에는 이런 열망이 너무 뜨겁게 달아올라 그의 음악 곳곳에 생채기를 냈다. 그는 음악을 자신의 영혼의 확장으로 여긴 최초의 작곡가다. 그는 음악을 수단 삼아 세상과의 갈등을 표출했고, 운이 좋으면 갈등을 헤쳐 나가기도 했다.[10] 그토록 개인적이고 구체적인 감정을 담고 있으며 가차 없이 솔직한 음악을 쓴 작곡가는 이전에도 이후에도 없었다.

그러나 슈만이 남긴 성과는 그 지점을 훌쩍 넘어선다.

자신의 마음을 음악에 쏟아붓는 일에는 물론 많은 용기가 필요하다. 그러나 그 과정에서 다른 사람들이 알아볼 수 있는 표현 방식을 마련하지 않으면 세상의 관심을 끌지 못한다. 슈만의 음악은 비극적일 때가 많지만 그렇다고 가슴을 치며 통곡하게 되지는 않는다. 그의 음악은 자신만의 강렬하고도 기묘한 렌즈를 통해 인간의 경험 속에 존재하는 어두운 구석을 들여다본다. 여기서 그의 천재성이 드러난다.

내가 슈만에게서 느끼는 모든 요소들을 집약한 한 순간이 있다. 〈다윗동맹 무곡〉의 열일곱 번째 악장이다. 짧은 경구와도 같은 열여덟 곡을 모아놓은 〈다윗동맹 무곡〉은 슈만의 성격이 가장 잘 드러난 작품으로 볼 수 있다. 심약한 감상주의나 으스댐은 조금도 느껴지지 않는다. 들으면 들을수록 가슴에 파고든다.

이 곡은 거의 즉각적으로 숭고함을 얻는다. 두 번째 악장 ― 아니나 다를까, '내밀하게innig'라는 표기가 붙어 있다 ― 에 이르렀을 때다. 겉보기에는 독일 전통의 렌들러 춤곡을 변형시킨 느린 템포의 춤곡이지만, 더 깊이 들어가면 길게 이어진 탄식을 볼 수 있다. 상처의 깊이는 갈수록 조금씩 깊어진다. 베이스 선율이 피아노의 가장 낮은 음을 향해 뚝 떨어지면서 마지막에 불길한 일이 일어나리라 예고하지만, 전반적으로는 차분하게 가라앉은 후회 속에서 뒤를 돌아보는 음악이다.

이후 〈다윗동맹 무곡〉은 다양한 모습을 드러낸다. 연약함, 유쾌함, 황홀함, 고통(그중 결정적인 한 순간에 대해 슈만은 "플로레스탄의 입술이 고통으로 일그러지다"라고 적었다). 그렇게 30분 정도 지나고 나서 렌들러가 다시 등장한다. 느닷없는 귀환이기는 하지만, 슈만은 그 귀환을 예고하기 위해 악보에 꿈같은 문장을 써 놓았다. "멀리서 오는 것처럼." 이 악장에서 각각의 악구는 고음부가 먼저 선율을 노래한 다음, 저음부가 그 노래를 무덤덤하게 되받는 식으로 구성된다. 그러는 동안 조용하게 고동치는 당김음 패턴이 중간에서 아른거린다. 이 부분에는 분명 어떤 희열이 있지만, 어떤 마디를 들어봐도 현실의 세상에는 속하지 않는 것처럼 느껴진다. 그러다 마지막에 오면 이 모든 구조는 와해된다. 마지막 악구에서 저음부는 노래를 되받지 않고, 아무것도 해결되지 않는다. 고동이 약해진다. 꿈은 현실로 돌아오지 않는다. 꿈은 아무것도 존재하지 않는 곳으로, 혹은 모든 것이 부재하는 곳으로 향한다.

그러고 나서 렌들러가 다시 등장한다. 이제 모든 것이 끝을 향해 다가간다. 지금까지 줄곧 시달린 감정은 이제 더 버틸 수가 없다. 어째서인지는 모르겠지만, 이 렌들러를 연주하는 동안 어떤 목마름이 감당할 수 없을 만큼 커져버린다. 슬픔은 무한히 확장되며, 만물은 자신만의 **내밀함** 속으로 숨어든다. 슈만의 정수가 이 소우주 속에 담겨 있다.[1]

10년 전에 〈다윗동맹 무곡〉 녹음을 준비하고 있을 때, 친구 한 명이 스스로 목숨을 끊은 일이 있었다. 학교를 졸업하고 서로 마지막으로 본 지 2년이 지난 친구였다. 나는 큰 충격을 받았다. 그가 자신의 감정들과 싸우느라 힘들어했다는 것은 알고 있었지만, 그런 식으로 끝을 맺게 될 줄은 상상도 못 했기 때문이다. 그의 성격도, 그가 연주하는 음악도 모두 너그럽고 활기에 차 있었다. 그의 연주는 모든 면에서 나를 자극했다. 유심히 들으면 허약한 지점을 곧잘 발견할 수 있는 연주였지만, 넘치는 힘과 카리스마가 이를 잊게 만들기에 충분했다.

그의 죽음을 받아들일 수 없었던 나는 오래도록 헤어나지 못했다. 내가 아는 그는 결코 자살할 사람이 아니었지만, 현실을 돌이킬 수는 없었다. 그는 자연의 질서에 위배되는 식으로 죽음을 맞은 첫 번째 지인이었다. 나는 그가 죽었다는 소식을 듣고 내가 할 수 있는 일을 했다. 피아노 앞으로 가서 슈만을 연주했다.

〈다윗동맹 무곡〉은 내가 말하고 싶지만 말할 수 없는

것들을 말하고 있었다. 무서우리만치 정확하게, 바로 그것을 말하고 있었다. 음악이 증발하고 렌들러가 충격적으로 다시 등장할 때, 나는 죽은 친구의 얼굴을 보았다. 그의 외로움, 그의 고통, 잘못되고 비틀린 그 모든 것들을 말하지 못하는 그의 안타까움이 떠올랐다. 〈다윗동맹 무곡〉은 마치 누군가를 그런 결정으로 몰아갈 수도 있는 상황에 대해 알아야 할 모든 것을 이미 다 알고 있는 듯했다.

나는 수년 동안 그 작품을 수십 번이나 연주했고, 그때마다 죽은 친구의 얼굴을 보았다. 이 경험을 낭만적으로 포장하고 싶지는 않다. 오히려 너무 끔찍한 경험이어서 이제 이 곡은 그만 연주해야겠다고 생각할 때도 많았다. 하지만 한편으로는 〈다윗동맹 무곡〉이 지닌 힘을 부정할 수가 없다. 이 곡이 사진보다 훨씬 더 생생하게 그를 내 기억 속에 살아 있게 한다는 사실을.

기억은 시간이 흐를수록 흐려지지만 음악에 담긴 인상은 영원하다. 사람들로 가득한 홀에서든 혼자 있는 방에서든, 나는 〈다윗동맹 무곡〉을 연주할 때마다 렌들러가 다시 등장하는 대목에서 흔들린다. 내 마음속에 잠겨 있는 인간의 고통이 떠오른다. 외로운 사람들. 시대와 어울리지 못하고 길을 잃은 모든 사람들. 그 순간은 그들에 관한, 또 그들을 위한 것이다.

거기에는 슈만 자신도 포함돼 있다. 그가 얼마나 아름
다웠는지, 또 이 세상에 얼마나 어울리지 못했는지 생각해
본다. 그래서 나는 슈만을 연주할 때면 터무니없는 생각을
하고 만다. 그가 알게 됐으면, 자신의 음악이 세상 도처에
있는 내밀한 사람들에게 무엇을 선사했는지, 그가 알게 됐
으면 좋겠다고 말이다. 그는 우리에게 위안을 안겨주었을
뿐 아니라 성취감, 자기표현, 자기인식도 깨닫게 해주었
다. 그는 오로지 자신의 가장 내밀한 자아를 통해서 소통
했지만, 아이러니하게도 그 좁은 길은 세상에서 가장 너그
러운 공간이었다.

미주

보충 설명 및 출처

1. 물론 이런 거장들도 노스탤지어를 표현할 수 있고 실제로 표현 했다. 모차르트는 누구보다 이런 일에 능한 작곡가였을 것이다. 하지만 그들이 관심을 보인 것은 삶의 경험의 일부로서의 노스 탤지어, 그러니까 사람이나 사건에 대한 기억과 관련하여 아쉬 워하는 감정이지 지나간 음악 시대를 그리워하는 노스탤지어는 아니다.

2. 1750년부터 1850년까지 극적이고 불안정한 양상으로 음악이 발달한 과정을 보다 총체적이고 전문적으로 논의한 책으로는 찰스 로젠의 『고전적 양식The Classical Style』을 적극 추천한다.

3. 슈만은 자신의 성격에서 가장 중요한 비중을 차지하는 두 측면 에 이름을 붙였다. 열성적인 측면은 '플로레스탄', 몽상가적인 측 면은 '오이제비우스'였다. 슈만의 많은 작품이 그들의 이름으로 서명되었다. 또한 슈만은 음악에 시큰둥한 사회에 맞서 음악의 가치를 옹호하는 가상의 집단(실제 사람들이 많이 포함되기는 했지만)인 '다윗동맹'을 만들고 그 우두머리 역을 맡기도 했다.

4. 슈만에 대한 폭넓고 악의적인 모략까지 있었고, 추악한 법정 다 툼이 벌어졌다.

5. 슈만이 '플로레스탄'이나 '오이제비우스'가 아니라 '플로레스탄 과 오이제비우스'라고 표기한 악장이 드물게 있는데, 이런 음악 은 주로 활력이 넘치는 경향을 보인다. 자신의 활기찬 음악조차 행동하는 자만의 소유물이 아니라 꿈꾸는 자의 몫이기도 하다 는 점을 인정한 것이다.

6   이름을 밝히지 않은 손님이 그날 저녁 슈만 부부의 행동에 대해 묘사한 전문은 낸시 B. 라이히Nancy B. Reich가 쓴 『클라라 슈만 평전Clara Schumann: The Artist and the Woman』에 수록되어 있다.

7   친구들과 동료들의 설명에 따르면, 클라라 슈만은 필요할 때는 매력적이고 우아한 모습을 보일 수도 있었지만—하긴 그녀는 존경받는 연주자로 살아온 사람이었다—특별히 소통 능력이 뛰어나지는 않았던 듯하다. 그 능력이 한참 부족한 남편에 비하면 훨씬 나았지만 말이다.

8   낸시 B. 라이히는 1839년 11월 26일로 표기된 클라라의 일기를 인용한다. "한때는 내게 창조적 재능이 있다고 믿었지만 이런 생각을 포기했다. 여성은 작곡하겠다는 희망을 품어서는 안 된다. 작곡으로 성공한 여성은 한 명도 없다."

9   〈빈의 사육제 풍경〉이 대표적인 예다.

10   20세기에 이르러서는 고백적인 음악과 시, 드라마 등등이 숱하게 나오고 있다. 그래서 우리는 슈만이 이런 점에서 얼마나 앞서 간 인물이었는지 놓치기 쉽다.

음반 설명

a   슈만의 음악은 대단히 개인적이므로 그의 음악에 대한 반응도 필연적으로 대단히 개인적이다. 그러나 어떤 관점을 취하든 알프레드 코르토가 연주하는 슈만을 듣고 감동을 받지 않는다는 것은 상상하기 어렵다. 뮤직 앤드 아츠 프로그램 레이블에서 발매한 〈슈만: 피아노 독주곡〉이라는 제목이 붙은 그의 두 장짜리 CD에는 〈어린이 정경〉을 포함하여 이 글에서 논의되는 많은 작품들의 시대를 초월한 연주가 수록되어 있다.

b   유난히 따뜻하고 풍성하면서 상처받기 쉬운 유약함을 드러내

는 캐슬린 페리어의 콘트랄토는 마치 슈만을 부르기 위해 태어난 목소리처럼 들린다. 그녀가 뛰어난 피아니스트 존 뉴마크와 함께 녹음한 〈여인의 사랑과 생애〉는 브람스, 슈베르트 가곡과 함께 묶여 데카에서 재발매되었다(슈베르트의 가곡 두 곡의 피아노 연주는 작곡가인 만큼 피아니스트로서도 위대했던 벤저민 브리튼이 맡고 있다).

c 슈만의 초창기 가곡들인 〈시인의 사랑〉, 〈여인의 사랑과 생애〉, 〈미르테의 꽃〉, 두 곡의 〈리더크라이스〉는 시중에 나와 있는 음반들이 많다. 하지만 그의 후기 가곡들은 피아노곡처럼 음반으로 쉽게 접하기가 어렵다. 슈만의 가곡 전곡은 위대한 디트리히 피셔 디스카우와 크리스토프 에셴바흐의 연주로 도이치그라모폰에서 여섯 장짜리 박스세트로 발매되었다. 에델바이스Edel-weisse 레이블에서 발매된 볼프강 홀츠마이어와 다니엘 레비의 너무도 아름다운 〈여섯 개의 시와 레퀴엠〉에는 마지막 곡 「레퀴엠」이 빠져 있다.

d 루돌프 제르킨은 모차르트, 베토벤, 브람스 연주로 가장 잘 알려져 있지만, 슈만에도 마찬가지로 놀랍고 애정 어린 해석을 보여준다. 그는 소외된 이 걸작을 가장 먼저 옹호한 사람이며, 그가 필라델피아 오케스트라와 유진 오먼디와 함께 연주한 이 곡은 브람스의 피아노 협주곡 d단조와 함께 오디세이Odyssey 레이블에서 발매되었다.

e 쿠르탁의 가장 통렬한 (그리고 슈만풍의) 음악은 짧막하고 나무랄 데 없는 (두 손이나 네 손) 피아노를 위한 여덟 곡의 스케치로 이루어진 〈야테코크〉('놀이')일 것이다. ECM에서 쿠르탁 본인이 녹음한 귀중한 음반이 나와 있다. 그의 부인 마르타가 많은 곡에서 함께 연주했고, 곡과 곡 사이에 바흐의 편곡을 넣어 쿠르탁의 음악 곳곳에 있는 노스텔지어에 더 주목하게 만든다. 야나

체크의 피아노곡은 마침내 주류에 입성했는데, 작곡가를 개인적으로 잘 알았고 작곡가를 위해 그의 음악 대부분을 연주했던 루돌프 피르쿠슈니가 여전히 최고의 해석자다. 도이치그라모폰에서 그에게 야나체크의 모든 피아노곡(〈수풀이 우거진 오솔길에서〉를 포함하여)을 연주하도록 했고 두 장의 CD로 발매했다. 내게는 베르크가 신 빈악파 가운데 가장 만족스럽게 들리는 작곡가다. 바탕이 되는 이론을 잊고 그냥 듣게 되는 작곡가다. EMI에서 나온 두 장짜리 컴필레이션 음반에는 알반 베르크 사중주단이 연주하는 아찔한 〈서정 모음곡〉을 포함하여 그의 많은 걸작들이 담겨 있다.

f 브람스의 첫 번째 교향곡은 흔히들 '베토벤 10번'이라고 불리며, 베토벤의 〈합창〉 교향곡 영향이 곳곳에서 보인다. 뮤직 앤드 아츠 프로그램에서 재발매된 푸르트벵글러와 베를린 필하모닉의 연주는 음악 안으로 한층 깊이 들어가며 100명에 육박하는 오케스트라에게서 기대할 법한 것보다 더 뛰어난 호흡을 과시한다. 가장 향수를 자아내는 브람스 음악은 그가 생의 말년에 이르러 작곡한 짧은 피아노곡 모음집이다. 모험적인 화성으로 명백히 뒤를 돌아본다. 라두 루푸의 음악적 개성이 이 음악에 놀랍도록 잘 어울린다. 그가 데카에서 남긴 녹음들은 귀중한 보물이다. 바그너를 언급하면서 솔직히 마음이 편하지 않았지만, 〈트리스탄과 이졸데〉는 그가 음악적 과거, 현재, 미래에 대해 가졌던 복잡한 관계를 전형적으로 보여준다. 카를로스 클라이버와 드레스덴 슈타츠카펠레가 훌륭한 성악가들과 함께 녹음한 음반이 있다.

g 슈만의 〈환상곡〉은 지난 100년간 최고의 피아니스트들이 계속해서 녹음했다. 나는 클리퍼드 커즌과 리처드 구드의 연주를 특별히 좋아한다. 커즌의 연주는 〈어린이 정경〉과 함께 데카에서, 구드의 연주는 〈후모레스케〉와 커플링되어 논서치에서 발매되

었다. 나는 2006년 EMI에서 이 곡을 녹음했고 〈크라이슬러리
아나〉, 〈아라베스크〉가 음반에 함께 수록되었다.

h 코르토의 대담하고 자유분방하며 전반적으로 훌륭한 〈크라이슬
러리아나〉 연주가 앞에서 논의한 컴필레이션 음반에 실려 있다.

i 관습을 뛰어넘는 슈만의 많은 작품들처럼 소나타 f단조도 피아
노 레퍼토리에서 변방에 밀려나 있고 음반으로 나온 것이 얼마
되지 않는다. 내가 이 곡에 눈뜰 수 있게 해준 앨런 마크스의 너
무도 아름다운 음반이 현재 절판된 것이 유감이다. 마우리치오
폴리니는 도이치그라모폰 음반에 함께 수록된 〈다윗동맹 무곡〉
과 더불어 이 곡을 빼어나게 연주한다.

j 슈만의 많은 후기작들이 그렇듯이 〈동화그림〉도 전적인 헌신과
전폭적인 사랑으로 연주해야 진가가 살아난다. 그렇지 않으면
대단히 밋밋해질 수 있다. 훌륭한 예로 에두아르트 브루너, 킴
카쉬카시안, 로버트 레빈이 ECM에서 함께한 녹음이 있다. 슈
만과 쿠르탁의 음악을 뒤섞어서 두 작곡가 얼마나 많은 것을 공
유하는지 보여준 기획이 돋보인다.

k 언드라시 시프는 슈만 후기작의 열렬한 옹호자 가운데 한 명이
다. 가슴 뭉클한 그의 〈새벽의 노래〉 연주가 실린 텔덱Teldec의 음
반에서는 아울러 〈크라이슬러리아나〉, 〈야상곡〉, 그리고 슈만
이 마지막으로 남긴 수수께끼 같고 황폐한 〈유령 변주곡〉의 참
으로 통찰력 있는 연주도 들을 수 있다.

l 〈다윗동맹 무곡〉 역시 코르토의 컴필레이션 음반에 실려 있다.
이 작품은 나의 일부와도 같아서 다른 사람의 상상력을 통해 나
오는 것은 솔직히 듣기가 어렵다. 그렇더라도 코르토의 연주는
워낙 창의적이고 악상을 제대로 실현하고 있고 사랑이 넘치므
로 적극적으로 추천한다. 내 연주는 EMI에서 〈데뷔〉 시리즈로
나와 있다.

코다

죽음에 대해 처음으로 생각했을 때, 나는 열세 살이었다. 가까운 사람이 죽거나 오싹한 뉴스를 듣거나 쿠엔틴 타란티노의 영화를 봐서가 아니었다(그보다 전에 이런 일들을 다 경험해봤다). 베토벤의 소나타 32번 작품번호 111을 처음으로 만났던 것이다.

나는 그저 열세 살에 불과했지만, 음악은 그 몇 년 전부터 나를 이리저리 끌고 다니며 자극해 왔다. 두 명의 전문 바이올리니스트와 쉼 없이 돌아가는 한 대의 레코드플레이어가 있는 가정에서 자라면 음악을 피할 수는 없다. 그곳에서 음악은 일상적인 언어나 다름없었다. 그래서 내가 여섯 살에 피아노를 배우기 시작한 것은 선택이라기보다 필연적인 일이었다. 다들 말하는 언어를 배워서 함께 말하고 싶지 않은 사람이 어디 있겠는가?

그런데, 마침, 음악은 너무나도 놀라운 언어였다. 시적이고 강렬하고 매력적인 음악에 비하면 영어는 어딘가 어설퍼 보였다. 내가 연주를 배우기 전에도 모차르트의 클라리넷 오중주와 베르디의 〈리골레토〉는 내 마음을 빼앗고 상상력을 부채질했다. 피아노를 치기 시작한 이후로는 그 바깥의 세상은 더 이상 중요하게 느껴지지 않았다. 내 손과 발과 마음으로 베토벤의 세계에 접근하면서, 나는 나만의 세계에서 편안함을 찾았다.

작품번호 111은 베토벤의 서른두 곡의 피아노 소나타 가운데 마지막 곡이다. 자신이 가장 왕성하게 활동했던 장르에 바치는 작별 인사다. 그는 피아노 소나타라는 형식에 난 빈틈을 샅샅이 파헤치고 표현적 가능성을 남김없이 시도함으로써 혁신을 일으켰고, 미래의 작곡가들에게 거의 완전히 헤집어진 쑥대밭을 남겨주었다. 여기서 '작별'이라는 말은 위엄, 차분함, 받아들임 같은 많은 의미를 담고 있다. 하지만 그중 어떤 것도 이 소나타의 내용이나 성격을 제대로 전달하지 못한다. 작품번호 111의 첫 악장은 분노로 가득하다. 고통으로 인해 내지르는 분노다. 이 곡은 문맥의 중간에서, 감정의 폭풍이 이미 몰아친 상황에서 시작한다. 악장 전체에 걸쳐 싸움이 펼쳐진다. 잔혹한

포르티시모 유니즌*으로 시작하는 주요 주제는 세 음 만에 급제동이 걸려 청자로 하여금 흉하게 입을 쫙 벌린 눈앞의 두 음에 눈길을 쏟게 만든다. 이런 분위기는 이후로도 전혀 누그러지지 않는다. 혹독하고 갑갑한 전개는 거의 시종일관 이어지며, 마지막에 이르면 듣는 사람도 베토벤 본인만큼이나 지쳐 나가떨어진다. 갑작스럽게 장조로 바뀌는 코다**에서도 숨을 돌릴 수는 없다. 상승하는 세 음정이 코다를 떠받치는데, 갈수록 이 음정의 폭이 넓어져서 마지막에는 그 벌어진 공간이 입을 크게 벌리고 구멍을 드러낸다. 그것은 결핍이다.

이 악장이 그렇게 끔찍하게 마무리되는 것을 처음으로 들었을 때는 숨도 쉬지 못했다. 그때 나는 열세 살이었지만, 그 느낌은 아직도 생생하다. 그때까지 나는 비통함이 음악을 표현하는 무기가 되리라고는 생각지 못했다. 음악을 **통해** 살아가고 음악을 통해 세상을 느꼈던, 땀투성이 안경잡이 십대에게는 몹시 불편한 발견이었다. 그 순간,

---

* unison. 여러 악기가 같은 음을 함께 소리 내는 것. 옥타브가 다른 같은 음일 때도 있으며, 특히 독주의 경우에는 다른 옥타브의 같은 음을 동시에 소리 내는 방식을 뜻한다.
** coda. '꼬리'를 뜻하는 이탈리아어에서 유래한 단어로, 악장의 종결부에서 곡을 마무리하는 부분을 뜻한다.

연주회장의 침묵은 짙고 우울하게 느껴졌다. 불과 10분 전에 악장을 시작하기 직전의 침묵과는 전혀 달랐다.

침묵이 깨지고 연주회장 안과 내 몸 안의 입자들이 다시 정렬되었다. "어떻게 그런 게 가능한지 알 수가 없다. (…) 나는 내 영혼을 내 안으로 다시 들이마셨다." 에드나 세인트 빈센트 밀레이는 이 시(「재생Renascence」)를 쓸 때 소나타 32번의 2악장 주제를 생각하지 않았을까 싶다. 그 주제가 열세 살의 내게 미친 영향이야 물론 짐작도 못했겠지만 말이다. 이 시는 이 음악이 어떤 것인지, 또 무엇을 **하는지**를 전한다. 이 시는 웅변적이기도 하지만 **정확하다**. 나는 그보다 베토벤의 마지막 피아노 소나타 2악장을 잘 표현할 자신이 없다.

나는 어떻게 그런 게 가능한지 정말 알지 못한다. 나는 30년이나 피아노를 연주했고 36년 동안 같은 부분을 계속해서 들었지만, 2악장을 시작하는 C장조 화음—1악장을 그토록 무정하게 끝냈던 바로 그 화음—이 어떻게 곧바로 곡의 성격을 바꿀 수 있는지 이해하지 못한다. 나는 36년이나 내 감정을 통제하려고 노력해왔고 나름의 성과를 얻었지만, 어떻게 베토벤이 바로 직전까지 모든 것을 집어삼킬 듯 보였던 혹독함과 비통함을 아무렇지 않게 벗어던질 수 있었는지는 이해하지 못한다.

내가 아는 것은 하나뿐이다. 고통이 사라졌다는 것이다. 2악장의 첫 음이 울리는 순간, 악다문 이와 움켜쥔 근육이 모두 풀어진다. 순수한 경이다. 첫 악장의 궁핍한 리듬은 더없이 부드러운 흔들림으로, 분노에 찬 불협화음은 깔끔하고 개방적인 협화음으로, 주름 잡힌 이마는 활짝 뜬 눈으로 바뀐다.

두 악장 사이의 침묵을 처음 경험했던 순간을 떠올려 본다. 마치 어제 일처럼 생생하다. 터무니없게도 나는 다리를 불편하게 꼰 다음, 다리를 바로 펴기 전에 음악이 다시 시작하기를 기다렸다. 하지만 18분이 지난 뒤에도 여전히 내 다리는 불편하게 엉켜 있었다. 다리는커녕 손가락 하나조차 움직일 엄두를 낼 수 없었다. 경외감에 찬 주제의 연이은 변모가 내 마음을 사로잡았기 때문이다. 처음에 부드럽게 출렁이는 리듬은 변주가 이어질수록 점점 거칠고 다급해졌고, 그로 인해 휴식으로 여겨졌던 부분이 미친 듯한 열광으로 바뀌었다. 나는 숨을 쉬지 못했다. 그러다가 새로운 순간이 왔다. 앞으로 치고 나가는 움직임이 도저히 막을 수 없을 것처럼 느껴졌을 때, 돌연 선율이 멈추었다. 그러더니 피아노의 최저 음역대에서 희미하게 고동치는 소리가 들리고, 곧이어 최고 음역대에서 형태 없이 구불구불 회전하는 아라베스크 무늬가 피어났다. 멀리서 천사가 속삭이는 것이다. 트릴이 잇달아 상승하면서 진동을 만들어냈는데, 그 진동은 피아노가 아니라 대지에서 솟아오르는 듯했다. 이제 주제 선율은 계속해서 증발한다. 그 이유는 하나뿐이다. 오직 한층 더 우주적인 형태로 재구축되어 출현하기 위해서다. 여기에 이르면 음악은 철학을 넘어 어떤 초월에 다다르게 된다.

객석에 앉은 나는 곡의 후반부에 다다라 마음을 단단히 다잡았다. 베토벤은 무엇보다 기념비적인 결말을 사랑한 작곡가였기 때문이다. 그 얼마 전에 나는 C장조로 마무리한 피아노 소나타—〈발트슈타인〉—를 접한 바 있었다. 거기서 베토벤은 마지막에 장장 스물아홉 개의 C장조 화음을 울려댔다. 교향곡 5번의 경우처럼 작품의 궤적이 어둠에서 빛으로 향할 때는 이런 경향이 터무니없이 극단적으로 나타나기도 한다. 어쨌든 나는 아무것도 모르고 장대한 해결이 일어나리라 생각했다.

마지막으로 건반을 자유롭게 가로지른 곡은 개시부에 나왔던 성가풍의 선율로 다시 돌아왔다. 나는 음악이 마지막으로 혼을 불태운 다음, 어쩔 수 없이 최종 종지로 접어드는 것을 들었다. 희미한 C장조 박동이 한 번, 다시 한 번, 또다시 한 번 들렸다. 나는 네 번째를 기다렸다.

들려오지 않았다.

C장조 화음은 세 번째가 마지막이었다. 요란한 팡파르도, 확장도, 끝났다는 느낌을 주는 그 어떤 제스처도 없었다. 그냥 끝이었다. 이 소나타는 결말을 맺는 대신 공허 속으로 들어갔다. 나는 여전히 움직이지 못했지만, 멈췄던 숨을 크게 내뱉을 수는 있었다.

나는 죽음을 들었던 것이다.

* * *

베토벤은 1822년에 이 '죽음'을 작곡했다. 본인의 죽음은 그로부터 5년 뒤에 찾아왔다. 그는 작품번호 111로 피아노 소나타에 작별 인사를 했는지는 모르겠지만, 그 이후에도 풍자시처럼 경쾌한 두 곡의 바가텔과 거대하고 난해한 〈디아벨리 변주곡〉을 작곡했다. 또 교향곡 9번과 〈장엄미사〉, 갈수록 충격을 더해가는 다섯 곡의 현악 사중주곡도 작곡했다. 그는 극심한 외로움과 알코올중독, 난청, 가족의 불화, 복통을 견뎌냈다. 비참한 삶을 살았지만 끈질기게 작업에 매달리며 경이적인 걸작들을 만들어냈다. 작품번호 111은 죽음을 말했지만, 베토벤은 살아남았다.

음악에 대한 글을 쓸 때는 이런 점이 가장 어렵다. 위대한 문학 작품의 행간에는 많은 의미가 들어 있지만, 텍스트 자체도 의미를 품고 있다. 침대는 관棺의 비유로 쓰일 수도 있지만, 그 단어가 지닌 가장 중요한 의미는 **침대** 자체다. 소설과 시는 우리가 일상에서 사용하는 것과 똑같은 단어를 사용하여 사람들에게 사랑한다고, 미워한다고, 파인애플을 가져오라고 말한다.

음악은 이렇지 않다. 음악에서는 행간의 의미가 전부다. 말할 수 없는 것을 말할 수 있는 음악의 신비한 능력은 바꿔 생각하면 말할 수 있는 것을 말하지 **못하기** 때문에 얻게 된 것이다. 음악은 음악을 지독하게 사랑하는 사람들의 무의식적인 욕망과 두려움을 대변하고, 우리가 어떻게 표현해야 할지 모르는, 때로는 우리에게 **있는지조차** 모르는 감정에 목소리를 부여한다. 하지만 음악은 누군가에게 과일을 가져오라고 말하지는 못한다.

요컨대 음악은 절묘하게 개인적인 언어다. 음악은 언제나, 거의 광적으로 주관적이다. 여러분이 음악을 사랑하는 사람이라면—특히 음악에 대해 글을 쓰려는 어리석은 짓을 하는 사람이라면 틀림없이 그럴 것이다—음악에 대해 날카롭고 참된 무엇을 말하고 싶을 것이다. 그렇기에 다른 사람의 진실이 여러분이 발견한 것과 다를 수도 있음을 깨닫고 나면 의기소침해진다. 내가 소나타 32번의 첫 악장의 주요 주제에 대해 "흉하게 입을 쫙 벌린"이라고 쓸 때, 그 표현은 **매우** 주관적이다. 객관적으로 말하면 그 주제는 그냥 C-E플랫-B일 뿐이다.

그렇게 객관적인 시선으로 바라보면, 베토벤은 이 소나타에 자신의 죽음을 담지 않았다. 소나타 32번이 장대하지도 경건하지도 않게, 그저 사라지듯이 끝나야 한다고 결정했을 때, 베토벤이 의식적으로든 무의식적으로든 자신의 죽음을 생각했다는 증거는 없다. 내가 이 작품에 대해 분명하게 말할 수 있는 것은 두 가지뿐이다. 베토벤이 앞서 그 어떤 작곡가도 다다르지 못했던 음악적 영토를 개척했다는 것, 그리고 그 곡을 처음 들은 순간 내가 돌이킬 수 없이 변했다는 것이다.

그 돌이킬 수 없는 변화는 바로 죽음을 바라보는 방식이었다. 사실, 내가 그전까지 죽음을 전혀 생각해보지 않았다는 말은 틀렸다. 전형적인 유대인 아이였던 나는 아홉 살이 되던 생일날에 처음으로 실존의 위기를 겪었다. 한 해 전의 생일날을 또렷하게 기억할 수 있었던 최초의 생일이었다. 나는 한 해가 흘렀음을 자각했고, 1년이라는 시간이 그다지 길게 느껴지지 않았다. 한 해가 지났다는 건 결국 내가 태어난 순간에서 그만큼 멀어졌다는 뜻이었다. 그렇다면 그만큼 무언가가 가까워지고 있을 텐데…….

그 생각은 방금 전에 내가 먹어치운 케이크 두 조각에 엉겨 붙어서 뱃속을 괴롭히는 덩어리가 되었다. 덕분에 그날 밤 나는 잠을 이루지 못했다. 두 가지가 특히 무서웠다. 하나는 어째서인지 이 무서운 생각을 누구에게도 털어놓지 못했다는 것이다. 또 하나는 그 생각이 말로 표현하기에는 너무 **모호했다**는 것이다. 아직은 먼 미래의 일이라고 자위할 수 있지만, 상상할 수 있는 미래의 어느 시점이 오면 나는 분명히 죽는다. 이 사실은 무슨 의미를 갖고 있을까?

죽음을 어떻게 다뤄야 할지 몰랐던 나는 아예 그 생각을 하지 않으려고 애썼고, 물론 실패했다. 그러고는 오래 지나지 않아 꿈을 하나 꾸었다. 어린 시절에 꾼 꿈 중에서 지금까지 기억에 남아 있는 유일한 꿈이다. 꿈속에서 나는 혼자 들판에 서 있었다. 더없이 행복한 기분이었다. 그러다가 예고도 없이 거대한 폭발이 일어나 온 세상이 멸망했다. 나는 겁에 질려 깨어났고, 이번에도 그 내용을 누구에게도 털어놓지 못했다. 내가 갑자기 감정적으로 위축되었다는 말은 아니다. 밖에서 보기에 나는 전혀 변한 게 없었다. 하지만 죽음에 대한 이런 반쪽짜리 자각 — 누구에게나 죽음이 찾아온다는 사실은 알았지만 그 이상은 이해하지 못했던 — 은 내 마음속에 전에 없던 혼란을 끌어들였다.

확실히 죽음은 혼란이며 삶의 크나큰 수수께끼 가운

데 하나다. 그러나 소나타 32번을 들은 순간, 나는 죽음을 처리할 수 있는 방법을 손에 넣었다(물론 음악이 이런 식으로 내 감정 지능의 거대한 공백을 메워준 건 처음도 마지막도 아니었다. 음악이 **왜** 내게 그토록 심오하게 영향을 미쳤는지 이해한 것은 시간이 한참 흐르고 나서였지만, 음악이 지닌 막강한 효과는 늘 곧바로 나타났다). 그래서 내가 죽음을 두려워하지 않을 수 있었던 것 같다. 첫 대면이 평화로웠고 음악적인 경험이었기 때문이다. 죽음은 그저 심장이 멎는다는 사실일 뿐이다. 소나타 32번에서 죽음은 힘들지 않다. 오히려 **삶이** 고통스러운 부분이다. 나는 **모든 것**을 두려워한다. 계단에서 떨어지는 것, 식사 주문을 잘못하는 것, 사람들 앞에서 연주하는 것, 광대짓을 하는 것, 고통을 느끼는 것, 실수를 저지르는 것, 약속을 까먹는 것, 고통을 **가하는 것**. 나는 삶의 모든 면모를 두려워하지만 죽음은 두렵지 않다.

사실 나는 당혹스러울 만큼 스스로에게 불가해한 존재다. 내가 왜 이렇게 느끼는지 제대로 이해할 때가 드물다. 설령 내가 느끼는 감정을 표현할 단어가 있더라도 일반적으로 그 단어를 써서 말하기를 몹시 꺼린다. 음악이 나의 해석자이고 나의 확성기이며 스승이고 지휘관이다. 내게 음악은 마술이다. 바로 이것이 내가 음악을 통해 살고 있다고 말할 때 내가 의미하는 것이다.

하지만 유감스럽게도 음악은 위험한 도구이기도 하다. 내가 음악가가 된 건 음악이 언어보다 더 풍부하게 나를 대변하고 나에게 말을 걸어왔기 때문일까? 어쩌면 그저 내가 음악을 **필요로 하기** 때문은 아닐까? 대체로 입을 다물고 있지 못하는 내가 내 감정을 내보일 때만큼은 악몽에 시달리는 열세 살 때와 마찬가지로 지금도 서툴기 때문에 말이다. 어째서 어떤 사람에게는 음악이 그저 C-E 플랫-B일 뿐인데, 어떤 사람에게는 거의 고통스러울 정도로 많은 의미를 담고 있을까? 음악에 가장 강하게 반응하는 사람들은 말해야 할 것을 말하는 능력이 가장 떨어지는 사람들이 아닐까?

이런 심란한 질문들은 내가 가장 아끼는 작곡가들의 후기작에 집중했던 올해에 유난히 자주 떠올랐다. 물론 매우 주관적인 생각들이었다. 베토벤의 소나타 32번이 죽음에 대한 성찰을 담고 있다는 주장은 제임스 조이스의 『피네간의 경야』가 기이한 작품이라는 주장과는 달리 논란이 분분하기 때문이다. 하지만 궁극적으로 그런 논란은 중요하지 않다. 소나타 32번이 베토벤 자신에게 어떤 것을 의미했든, 그 곡이 나에게 미친 영향은 나를 완전히 바꾸어 놓았다. 그것은 모차르트, 슈만, 브리튼 등이 말년에 작곡한 음악에도 똑같이 적용된다. 아름답고 황홀하고 나를 성장시키는 작품들이지만, 그게 다는 아니다. 그 음악들은 내가 무척 다가가고 싶어 하는 무엇인가에 근접해 있는 것처럼 느껴진다.

그 '무엇인가'는 대체 무엇일까? 그 생각을 할 때마다 나는 슬프고 혼란스러워진다. 음악을 듣고 있으면 거기에 가까워지는 것 같기도 하고 멀어지는 것 같기도 하다.

* * *

필립 로스의 『에브리맨』의 한 구절이 뇌리에서 떠나지 않는다. 이 소설은 이름 없는 주인공의 초상을 가감 없이 그려낸다. 그의 일상은 삶이 실망의 연속이라는 증거일 뿐 낭만 따위가 들어설 자리는 없다. 세 차례 결혼에 실패하고 세 명의 자녀 가운데 둘과는 연락이 끊긴 우리의 에브리맨은 암으로 죽어 가면서 부모님의 묘소를 찾는다. 그리고 거기 서서 상상 속의 대화를 나눈다. 그는 자신이 부모님에게 결코 말하지 못했던 것들을 말하고, 그들이 자신에게 꺼내지 않았던 이야기들을 듣는다. 묵직하게 몰아치는 소설의 클라이맥스에서 작가는 이렇게 말한다. "연약함을 감당할 수 없었다."

이 구절을 처음으로 읽은 지 거의 10년이 지났지만,

당시의 모든 것이 생생하게 기억난다. 내가 어디에 있었
는지(샌디에이고 가슬램프 쿼터의 중급 이탈리아 레스토
랑), 무엇을 하고 있었는지(음악회와 야간비행 사이에 시
간이 남아 빈둥거렸다), 문장이 책의 페이지 어디쯤에 있
었는지(오른쪽 페이지 하단 근처), 내가 무슨 옷을 입고
있었는지(눈치 없게도 플란넬 셔츠), 곧 페이지에 묻게 될
토마토소스의 맛이 어땠는지(신맛이 강했다) 다 기억난
다. 누군가 나에게 필립 로스를 언급하면 나는 곧바로 자
동적으로 "연약함을 감당할 수 없었다"라는 문장을 떠올
리고는 이 이야기를 해줄 것이다. 실내악 리허설에서 실용
적인 음악적 조언이 더 이상 먹히지 않을 때, 연주를 마치
고 사람들과 대화를 나누다가 내 말이 바닥을 드러낼 때,
나는 이 문장을 써먹었다. 베토벤의 현악 사중주 13번의
'카바티나'에 대한 글을 썼을 때는 이 문장을 저작권에 위
배되지 않게 살짝 바꿔서 인용하기도 했다. 가끔은 감정이
풍부한 투렛 증후군 환자처럼 혼자서 큰소리로 이 말을
되뇌기도 했다.

　아름다운 문장이다. 간결하고 정확하고 감정이 풍부
하면서 감상적이지 않은, 가장 좋은 의미에서 로스다운 문
장이다. 그러나 내가 기억하지 못하는 다른 많은 구절에
대해서도 그렇게 말할 수 있다. 그 구절이 내게 각인된 이

유는 거기 있는 뭔가가 내 마음속 깊은 곳을 건드렸기 때문이다. 처음 그 구절을 읽었을 때 온몸으로 강렬함이 전해져왔다. 보통은 음악을 통해서만 경험할 수 있었던 종류의 강렬함이었다.

나는 음악가이면서 글도 쓰므로 내가 문화적으로 조예가 깊다고 생각할지도 모르겠다. 애석하게도 그렇지 않다. 자랑하는 말은 아니지만, 음악에 대한 나의 사랑과 인내심은 다른 예술 형식과는 비교할 수 없을 만큼 크다. 나는 고작 여섯 살 때 소프라노와 바이올리니스트가 70분간 조성이 없이 대화를 주고받는 쿠르탁의 〈카프카 단편〉 연주를 들었다. 오스트리아의 로켄하우스 페스티벌에서였는데, 음악에 완전히 넋이 나가서 주위에서 중부 유럽 사람들이 대거 빠져나가는 것을 알아차리지도 못했다. 하지만 내가 지금 박물관에서 70분을 보낸다면, 설령 내가 좋아하는 예술가의 전시회라고 하더라도 시계를 흘긋 들여다보며 사람들의 눈치를 살필 것이다. 내가 영화관에서 저녁을 보내는 것은 대단히 특별한 기분일 때만 가능하다. 나는 조지 엘리엇의 『미들마치』를 읽으려고 다섯 번이나 시도했지만 아직 4페이지를 넘어가지 못했다.

그렇다면 어째서 『에브리맨』은 내게 와닿았을까? 특히 그 문장은 어떻게 내 영혼을 음악처럼 꽉 붙들었을까?

내 생각에는 음악의 가장 커다란 힘, 그러니까 그저 그런 연약함이 아니라 **고양된** 연약함을 전하는 방식을 언어로 표현했기 때문이 아닐까 싶다. 음악이 지닌 다른 어떤 매력도 이보다 더 강렬하지 않다. 음악을 접할 때마다 느끼는 것이지만, 음악이 나에게 가장 오래도록 남기는 흔적은 연약한 감정이 두려울 만큼 극단적으로 표출되는 순간들이다.

이런 현상은 후기작에만 국한되지 않는다. 모차르트는 〈피가로의 결혼〉을 신체적으로나 경력상으로나 절정이던 1786년에 작곡했다. 이 오페라는 음악을 제외하고는 추천할 만한 점이 별로 없다. 사건 진행은 우스꽝스러운데다 초야권初夜權*이라고 하는 역겨운 관념에 의지하는데, 대본은 이와 관련하여 흥미로운 이야기를 전혀 담지 못했다. 또한 등장인물들은 한 번에 서너 명씩 등장할 때도 많고, 오페라 대본상 인물 묘사는 아무리 잘 봐줘도 평면적인 수준에 머문다. 하지만 누구도 그 부족함을 알아차리지 못한다. 왜냐하면 음악이 번쩍이는 영감으로 가득 차 있기 때문이다. 모차르트는 가차 없는 정확성과 뛰어난 공감력을 발휘하여 수많은 등장인물들의 심리적 약점을 음

---

* 평민이 결혼할 때 영주가 첫날밤에 신부를 차지하는 권리

악에 실어 전달한다.

자신의 아내가 멍청하다고 생각해서 3시간 동안 총 4막에 걸쳐 수도 없이 바람피울 궁리를 했던 알마비바 백작은 클라이맥스에서 숨겨진 사실을 깨닫는다. 실은 아내가 자신의 속셈을 정확하게 알고 있었던 것이다. 그는 깜짝 놀라 아내에게 용서를 구한다. 그가 용서를 구하는 것은 처음이 아니다. 그런데 그 대사가 더없이 단순하다. "부인, 용서하시오Contessa, perdono." 이게 전부다. 이 순전한 악당은 그녀의 용서를 받고 평소의 바람둥이 생활로 돌아갈 생각밖에 없어 보인다.

그런데 이때 음악은 다른 이야기를 한다. 모차르트는 숨이 멎을 듯한 네 마디―인상적인 악구가 계속 등장하는 이 오페라에서도 가장 인상적인 구절―로 백작의 내면을 보여준다. 이 선율 속의 그는 자신이 처한 상황을 보고 깜짝 놀라면서, 자신이 아내에게 얼마나 큰 상처를 주었는지 이해하며, 겉으로는 허세를 부리면서도 사실은 크게 수치스러워한다. 그는 자신이 그녀의 사랑을 받을 자격이 있는지 의심한다. 이렇게 음악은 글이 해낼 수 없는 방법으로 이 인물의 방어망을 모두 벗겨내고 그의 가장 여린 속살 같은 자아를 드러낸다. 감당할 수 없는 연약함이 드러난 것이다.

많은 작곡가들은 인간의 심리를 간파하는 감각이 모차르트의 수준에는 미치지 못했지만, 그들도(아니, 사실상 모든 작곡가들은) 이런 종류의 순간들, 말 그대로 내면의 속살이 드러나는 순간들을 계속 만들어낼 수 있었다. 이런 능력은 작곡가가 생의 말년에 가까워질수록 한층 예리해지는 경향을 보였다. 그중 브람스의 예가 특히 감동적이다. 그의 음악은 물론, 그의 삶 자체가 인간의 내면을 파고드는 감각과 직접 연관돼 있기 때문이다.

로베르트 슈만의 미망인인 클라라는 브람스의 삶에서 많은 비중을 차지했다. 이 둘의 관계는 걷잡을 수 없이 복잡했고 더없이 친밀했으며 기묘한 긴장감이 오갔다. 나는 이 두 인물의 예술적, 인간적 동업 관계를 몇 페이지에 걸쳐 서술할 수도 있지만, 이는 추측에 기반할 수밖에 없을뿐더러 이 글의 핵심과는 무관하다. 그러니 여기서는 당대 최고의 피아니스트였던 클라라가 브람스의 뮤즈였을 뿐만 아니라 그의 삶과 가장 복잡하게 뒤엉켜 있던 인물이었다고 말하는 것으로 충분하다.

클라라 슈만이 죽어가고 있을 때, 그리고 암이 자신의 내부를 갉아먹기 시작할 때, 브람스는 〈네 개의 엄숙한 노래〉 작품번호 121을 작곡했다. 전반부의 두 곡은 구약성서에서 가져온 가사처럼 삭막하고 기쁨이 없다(성서를 텍스트로 사용하긴 했지만, 브람스는 누구보다도 **열렬하게** 세속적인 사람이었다. 이 두 곡은 드보르자크가 브람스를 평가할 때 했던 말처럼 "아무것도 믿지 않았던" 사람이 죽음을 가만히 주시하는 모습을 떠올리게 한다). 이어지는 세 번째 노래에서도 같은 태도가 이어진다. "오 죽음이여! 오 죽음이여! 그대는 얼마나 **쓰라린가!**" 처음 네 단어에서 노래의 선율은 3도씩 계속 떨어지고, 피아니스트가 연주하는 덩어리 화음●은 리듬이나 감정 면에서 유연성이 전혀 없다. 그 무엇도 하염없이 심연 속으로 떨어지는 순간을 늦출 수 없을 것 같다.

그런데 노래가 중반에 다다르면 아무런 예고도 없이 피아노가 굳은 표정을 풀고 유연한 모습을 드러낸다. 덩어리 화음은 풀려서 흩어지기 시작하고, 처음에 날카로운 각을 드러내던 리듬은 당김음을 통해 부드러워진다. 이 연가곡집을 통틀어 처음으로 소리의 팔레트가 칠흑 같은 어둠에서 벗어나고, 감정은 숨 막히는 절망에서 벗어난다. 청자는 이제 마음 놓고 숨을 쉴 수 있겠다고 기대하게 된다.

이제 노래가 다시 등장하면서 도입부의 하강하는 3도를 거꾸로 뒤집는다. 단조는 장조가 되고, 체념의 힘은 약

● Block Chord. 4성부 이상의 화음을 연속적으로 연주하는 주법

해진다. 우렁찬 선언은 속삭이는 고백으로 바뀐다. "오 죽음이여! 그대를 **환영하노라!**"

이 대목은 이루 말할 수 없이 감동적이다. 브람스는 음악에서든 삶에서든 감상적인 것들을 혐오했다. 그는 혹독한 짐을 직접 짊어진 채 나아갔다. 이십대 초반에 자신이 베토벤의 후계자라는 말을 들었던 그는 이후 40년을 그런 기대에 부응해야 한다는 책임감 속에서 살았다. 실제로 그 기대에 부합하는 작곡가가 될 수 있을 거라는 믿음을 내비치지 않으면서 말이다. 다양한 죄책감이 실타래처럼 꼬여 그에게 들러붙었다. 그는 행복을 구하기 위해 사랑을 탐했던 적이 한 번도 없었고, 심지어 스스로 기운을 북돋우는 자기만족의 순간조차 없는 삶을 감내했다. 브람스의 음악은 대개 숭고하고 간혹 흥겨운데, 이런 음악적 특성은 그의 실제 삶 및 창작 과정과는 거리가 멀어 보인다. 그렇기에 죽음을 환영한다는 대목을 이렇게 생각해볼 수 있다. 살아가기 위해 평생 발버둥 쳤던 그의 힘이 거의 다 빠졌고, 따라서 죽음은 그가 이제까지 완강한 투지로 살아오고 작업해온 것에 대한 **보상**일 수도 있다는 것이다. 브람스는 성서에 기반한 가사가 아니라 모차르트도 흐뭇해할 만한 풍부하고 세밀한 음화音畵로 이런 메시지를 전한다. 여기서 표출되는 연약함은 작곡가 본인의 것이다.

감당할 수 없는 이 연약함은 쉽게 얻을 수 없다.

마지막 네 번째 노래의 끝부분에도 이런 대목이 있다. 결혼식 주례사로 더 친숙한 고린도전서 13장 1절을 가사로 썼는데, 흥미롭게도 노래의 대부분은 무덤덤하게 흐른다. 브람스에 대한 흔한 비판 중 하나는 그의 음악이 한결같이 높은 완성도를 보이기는 하지만 살짝 감정이 메마르고 절절함이 부족하다는 것이다. 나는 그런 비판이 대부분은 헛발질이라고 생각하지만, 이 곡에서는 그런 비판이 일리가 있어 보인다. 가사는 소망, 믿음, 그리고 사랑(성서학자에 따라서는 관용으로 해석하기도 하는데 그 차이는 매우 크다)을 이야기하는데, **가사에 음악을 붙이는** 브람스의 굳건한 솜씨는 나무랄 데 없지만 열정이 부족하다.

하지만 단정하기는 이르다. 갑자기 열정이 드러나기 때문이다. 문제의 대목에서 노래의 음높이는 흥분 상태로 올라간다. 간격을 두고 등장하는 '소망', '믿음', '사랑'은 뒤로 갈수록 음이 높아지고, 그에 따라 감정도 점점 격해져서 마지막에 나오는 '사랑'은 거의 필사적으로 들린다. 선율은 클라이맥스로 치솟고, '사랑'이라는 말은 길게 늘어진다. 마치 비로소 그 단어를 말할 용기를 낸 브람스가 그 소중한 말을 놓치지 않으려는 것처럼……. 그리고 마침내 잦아든 목소리는 깊은 침묵에 빠진다.

이 침묵이 끝날 즈음이면 목석같다는 브람스의 허울이 (아직도 벗겨지지 않았다면) 마침내 벗겨진다. 조금 전까지만 해도 가수는 사실상 소리치고 있었다. 하지만 이제 그는 한없는 친밀함으로 노래한다. 스스로를 신실하고 자애롭다고 여기는 많은 사람들은 더 이상 이 곡의 청중이 될 수 없다. 이제 이 곡의 청중이 될 수 있는 사람은 오직 한 명뿐이다. 혼자 살고, 많은 이들의 흠모를 받았고, 나름의 흠결을 지니고 있으며, 남편을 여읜 지 오래되었고, 피아노를 치는 사람. "하지만 사랑이 그 가운데 으뜸이라." 브람스는 조용하지만 열렬하게 노래한다. 앞서 뚝뚝 끊기던 음악은 부드러운 아치를 그리면서 마음을 흔드는 선율이 되었다. 거칠고 몰인정했던 도입부는 먼 기억 속으로 사라진다. 우리는 그 도입부가 브람스의 가면이었음을 알게 된다. 브람스는 아주 드물게, 온 힘을 들여서야 자신의 취약한 모습을 내려놓을 수 있었다. 그리고 오로지 음악에서만 그럴 수 있었다.

이 노래를 가장 먼저 들은 사람은 클라라 슈만의 자녀들이었다. 그녀의 장례식이 끝난 직후, 그녀의 집에서 열린 작은 모임 자리였다. 가수이자 피아니스트는 브람스였다. 자신의 욕망을 억눌렀던 사람. 클라라에게 사랑한다고, 그녀를 향한 사랑이 자신의 생애에서 가장 좋았던 것이라고 말하지 못했던 사람은 이제 음악이라는 매개체를 통해 슬퍼하는 그녀의 자녀들에게 속내를 털어놓았다. 그는 너무도 눈물을 쏟아 연주를 계속하기가 어려울 지경이었다.

브람스가 그때껏 살아오면서 잘 억눌러왔던 연약함은 이제 감당할 수 없게 되었다. 음악이 그것을 풀어헤친 것이다.

* * *

나는 브람스의 여러 후기작에 나타나는 연약한 모습의 예로 〈네 개의 엄숙한 노래〉를 들었다. 그리고 성경을 인용한 가사에 해석의 일부를 떠넘기면서 손쉬운―전혀 브람스적이지 않은―길을 택했다. 그러나 모차르트가 〈피가로의 결혼〉에서 그랬듯이, 브람스도 이 네 개의 노래에서 가사만으로는 전달하기 힘들었을 겹겹의 감정들을 드러냈다. 암울한 체념과 애끓는 취약함이 공존하는 이런 모습은 그의 후기 피아노곡들―총 스무 곡으로 네 개의 모음곡으로 묶인―에서도 계속해서 되풀이된다. 특히 〈여섯 개의 피아노 소품〉 작품번호 118에 수록된 몇 곡은 대단히 암울하다. 그 곡들은 희망을 보여주지 않는 정도가 아니라 희망에 반대한다. 휘몰아치는 카논으로 구성된 네 번째 곡이 좋은 예다. 요란하게 회전하는 성부들이 서로에게 번갈아가며 똑같은 질문을 던지고, 아무도 거기에 대답하지 않는다. 불편하게 빙빙 돌기만 한다. 중반에 접어들면 요동이 잦아들고 카논은 거의 중단된다. 음악에서 '거의 중단'되는 부분은 일반적으로 중간 기착지를 뜻한다. 그곳은 종착지가 아니다. 기착지에 다다른 음악은 계속해서 이어갈 새로운 방법을 찾거나 완전한 정지에 이르거나 둘 중 하나를 택해야 한다. 그런데 이 곡에서 브람스는 두 가지 경로를 다 거부한다. 미약한 장조로 바뀐 카논은 가까스로 다시 이어지고, 두 성부는 한참 동안 더듬거리며 서로 대화를 주고받는다. 어느 쪽도 하나의 문장을 완전하게 마무리하지 못한다. 대화의 내용보다는 대화 자체의 어려움이 훨씬 인상적으로 와닿는다.

나는 이 대목을 견디기가 힘들다. 차라리 음들이 이리저리 휘몰아치는 시작 부분은 참을 만하다. 음들이 서로에게 손을 뻗기 때문이다. 하지만 서로가 서로에게 닿지 못하는 중반부는 너무 힘겹다.

내가 음악에 반응하는 방식을 간결하게 요약하면 이렇다. "오 죽음이여! 얼마나 **비통한가**!" 나는 여기에는 대처할 수 있다. 하지만 "오 죽음이여! 그대를 **환영하노라**!"에는 대처할 수 없다. 베토벤 소나타 32번의 서두에 나오는 원초적인 비명은 참혹하지만 받아들일 수 있다. 하지만 침묵으로 접어드는 그 소나타의 마지막 여행은 소화하기가 어렵다. 그런 순간들은 말 그대로 숨이 멎게 한다. 내가 설명하지 못하는 감정의 공간으로 나를 끌어들인다. 기묘한 희열, 바닥을 알 수 없는 슬픔 같은 것들이 뒤섞인 기분이다. 현기증이 나서 말을 할 수도, 움직일 수도 없다. 가만히 있는 내 모습은 침착해 보이겠지만 그 안은 흥분으로 끓어 넘치고 있다.

사실 방금 쓴 문단은 모호하다. 물론 나의 음악 묘사는 **나의** 경험을 전달하기 때문에 당연히 주관적일 수밖에 없다. 하지만 이 음악이 **왜** 내게 그토록 소중하게 다가오는지, 그 근본을 살펴보려고 하면 나는 굳어버리고 만다. 나는 음악에서 이런 순간들이, 격렬함이 물러나고 난 다음의 공허한 순간들이 내게 무엇을 주었는지 알고 있다. 그 순간들은 내가 스스로에게 허락하지 않았을 감정들을 내게서 끌어냈다. 그러나 이런 감정이 대체 **무엇인지**, 그리고 어째서 평소에는 제대로 느낄 수 없는지는 제대로 설명하지 못한다. 나는 내 이런 한계를 마주할 때마다 화가 치밀어 오른다.

여기서 핵심 단어는 '한계'다. 나는 아까 이렇게 썼다. 내가 음악에 그토록 강하게 반응하는 건 내가 품고 있는 감정을 말로 표현하기가 너무 어려워서인지도 모른다고 말이다. 그럴지도 모른다는 표현은 사실 그다지 솔직하지 못했다. 나는 **그렇다는 것**을 알고 있었다. 아주 오래전부터 알고 있었다. 내가 만약 한밤중에 일어나서 부모님 방으로 달려가 "끔찍한 꿈을 꿨어요. 모든 것이 폭발하고 온 세상이 사라졌어요. 너무도 무섭고 뭐가 뭔지 모르겠어요" 하고 말하는 아이였다면, 상상의 세계 속에 숨어드는 아이가 되지는 않았을 것이다. 〈대푸가〉, 〈크라이슬러리아나〉, 〈리골레토〉가 동력을 공급하는, 풍요롭고 강렬하고 밀폐된 상상의 세계. 그 안에서 자란 나는 그곳의 특징을 이어받은 어른이 되었다. 나는 세상과의 연결을 갈망하지만, 베토벤과 슈만이 대신 나서주지 않으면 자신을 드러내는 법을 알지 못한다.

음악은 나처럼 감정적으로 고기능 장애에 시달리는 사람에게 크나큰 선물이다. 음악은 말없이 강렬하면서도 한없이 유연해서 인간 감정의 모든 영역에 가닿는다. 많은 작곡가들의 후기작이 유독 내게 의미 있게 와닿는 이유가 바로 여기에 있다. 이런 음악들은 대체로 **소통의 어려움**을 전하려 하기 때문이다. "사랑이 그 가운데 으뜸이라." 판에 박힌 결혼식 주례사처럼 진부해진 이 말이 〈네 개의 엄숙한 노래〉의 마지막 노래에서 드높이 솟아오를 수 있었던 것은 브람스가 이 말을 소리 높여 하기까지 평생 고투해

왔음을 우리가 알기 때문이다. 〈인터메초〉 작품번호 118-4의 더듬거리는 카논은 한층 더 극적인 사례다. 이 곡은 몇 초 혹은 몇 년, 그 가늠할 수 없는 시간 동안 목구멍에 걸려 있던 말들이 이제 막 빠져나오려는 순간을 그린다. 여기서 나는 인간적이 되려는 브람스의 평생의 몸부림을, 그리고 나의 몸부림을 듣는다.

말 그대로 몸부림이다. 삶을 주목하는 사람에게 삶은 곧 몸부림이다. 특히 뭔가를 주목하는 것이 생업인 예술가들은 이런 몸부림을 유일하고도 강렬한 방식으로 경험한다. 음악가(여기서 내가 '예술가'라는 말을 쓰지 않은 건 허세를 부리는 느낌 때문이다. 그 단어는 마치 신 같기도 하고 서커스 곡예사 같기도 하다. 또한 앞서 말했듯이 음악 이외의 예술을 논의하기에는 내 자격이 부족해서이기도 하다)는 무엇보다 관찰하는 능력이 필요하다. 여러 음악가들의 개성은 제각각이지만, 그들 모두가 잘하는 게 있다면 바로 관찰하는 일이다.

여기에는 실제적인 이유가 있다. 악기를 잘 연주하기 위해서는 고도로 발달된 귀가 타고난 신체 능력보다 훨씬 중요하다. 효과적인 연습이란 먼저 자신이 만들어내고자 하는 소리를 아는 것이고, 그런 다음 자신이 **실제로** 만들어내는 소리가 그 목표와 어떻게 다른지 냉정하게 알아차리는 것이다. 당연한 말로 들리겠지만 사실 이것은 가장 배우기 어려운 부분 가운데 하나다. 보통 인간은 듣고 싶은 것을 듣는 습성을 갖고 있으므로, 이런 습성에서 벗어나도록 스스로를 훈련시키는 것은 음악가에게 꼭 필요한 일이며 또 그만큼 고통스러운 일이다. 최고의 연주자들은 이 일을 가장 완전하게 해낸 사람들이다. 그들은 거의 치명적일 만큼 자신의 소리를 기민하게 파악한다.

그러나 음악가들에게 관찰의 중요성은 기술적인 면을 훨씬 넘어서는 문제다. 위대한 음악이 위력적인 이유는 나름의 까다롭고 추상적이고 주관적인 방식으로 거대한 질문들을 던짐으로써 작곡가의 세계관을 보여주기 때문이다. 모차르트의 음악은 인간의 강점과 약점을 예리하게 인식하고 받아들이기 때문에 우리를 감동시킨다. 반면에 베토벤의 음악은 인간의 한계를 마찬가지로 잘 파악하면서도 그 한계를 받아들이기를 단연코 **거부함으로써** 감동을 준다. 물론 모차르트와 베토벤 모두 놀라운 관찰력과 놀라운 개방성을 선보인다.

따라서 위대한 음악을 작곡하거나 연주하거나 그저 사랑하기 위해서라도 마음을 꼭 열어야만 한다. 그러나 여기에는 역설이 있다. 날이 갈수록, 나는 **진정으로** 음악에 감동을 받으려면 열린 동시에 폐쇄되어야 한다고 — 고독하게 갇힌 상태가 되어야 한다고 — 확신하게 된다. 모차르트, 베토벤, 브람스 모두 자신만의 예민한 방식으로 정서적인 기능 장애를 탐구했다. 그들은 저마다 자신이 친숙하게 여기는 정서를 거의 오싹한 수준까지 소리로 표현했다. 그들의 삶 자체는 거의 닮은 점이 없었는데, 어떻게 이런 공통점을 지닐 수 있었을까? 특히 이들 대가들이 나이가 들면서 — 삶 속에 실망들이 점차 쌓이면서 — 그들의 음악에서 이런 측면이 더 두드러지게 나타났다는 점도 우연처럼 보이지는 않는다. 나는 브람스의 〈인터메초〉 작품 번호 118-4 카논에서 '개방적이면서 폐쇄적'이라는 이 역설을 뚜렷하게 감지한다. 여기서 나는 연결을 갈망하는 동시에 심각하게 두려워하는 역설을 목격한다.

나아가 이것은 내가 음악 — 브람스의 **이** 음악 — 을 왜 그렇게 열렬히 사랑하는가 하는 핵심과 연결된다. 보통 친밀함은 알고자 하는 욕망, 그리고 알려지고자 하는 욕망에서 나온다. 내 경우에는 전자가 후자보다 훨씬 더 자연스럽게 다가온다. 반대라고 생각하는 이들이 많겠지만, 사실 많은 연주자들이 이렇다. 그들은 자기 자신을 잘 알지 못하고, 자신을 바라보는 시선을 두려워하며, 항상 가면을 쓰고 있다. 언젠가 유명한 여배우의 인터뷰 기사를 읽은 적이 있는데, 그녀는 세상에서 가장 두려운 일이 남

들 앞에서 말하는 것이라고 했다. 평생 동안 무대와 스크
린에서 공개적으로 말해 왔던 사람이기에 터무니없는 말
처럼 느껴졌지만, 이내 나 또한 그녀와 상당히 비슷하다는
것을 깨닫게 되었다. 연기하는 캐릭터를 통해 자신의 영혼
을 드러내는 일은 그녀가 할 수 있는 일일 뿐만 아니라 정
신적으로 꼭 필요한 일이었다. 이와 달리 자신의 **본모습**을
드러내는 것은 그녀로 하여금 비명을 지르며 도망치고 싶
게 만들었다. 무대에 올라 슈만을 통해 내 깊은 감정들을
전달하는 일은 두려움을 불러일으킨다. 하지만 나는 그 작
업을 갈망한다. 반면에 내 내면에 존재하는 감정들을 **말**
로 표현하는 것은 너무도 위협적으로 느껴지곤 했다. 나는
내 감정에 대해서는 침묵했다. 스스로에게조차 말하지 않
았다.

　　나는 이렇게 사는 게 멋지다고 착각하지 않는다. 나는
현대의 뉴에이지풍 싸구려 문화에 노예처럼 속박되어 있
지는 않지만, 행복한 삶을 살기 위해서는 스스로를 잘 알
고 그것을 스스럼없이 표현해야 한다는 사실을 알고 있
다. 브람스, 베토벤, 모차르트가 그랬듯이, 음악을 자신의
삶으로 받아들였던 수많은 다른 사람들이 그랬듯이 말이
다. 하지만 그것을 '안다'고 해서 일이(혹은 삶이) 더 쉬워
지지는 않는다. 그래서 나는 브람스의 〈인터메초〉 작품번

호 118-4를 사랑한다. 나이와 신경증과 분노와 자기혐오로 인해 만신창이가 된 브람스가 그럼에도 불구하고 자신의 가장 여린(연약한) 부분을 드러내려고 **여전히** 애쓰고 있고, 그 노력은 오로지 음악을 통해서만 성공을 거두었기 때문이다. 그는 손을 뻗으면서 숨는다. 나도 무대에 오를 때마다 그렇게 한다.

손을 뻗으면서 숨기. 이 모순이 많은 음악가들의 삶을 규정한다. 나는 그런 삶이 괴로움을 안겨준다고 확신한다. 하지만 그런 삶이 음악에 대단히 매혹적인 힘을 부여한다는 사실도 부정할 수 없다. 내가 사랑을 말로 표현할 줄 알았다면, 브람스의 더듬거리는 사랑의 선언이 그렇게 내 마음 깊이 와닿았을까? 내가 "끔찍한 꿈을 꿨어요"라고 말할 수 있는 아이였다면, 작곡가들이 생의 말년에 내비친 꿈들을 그렇게 매혹적으로 받아들일 수 있었을까?

* * *

슈베르트보다 더 매혹적인 꿈을 품은 작곡가는 없었다.

그는 타고난 몽상가였다. 가곡과 짧은 기악곡 속에서 그는 세상과 약간의 거리를 뒀고, 도무지 의식적인 상태에서 나온 것 같지 않은 소리의 세계를 만들었다. 차분하기 그지없는 표면 아래에서 감정이 일렁이는 노래 「밤과 꿈」은 제목 덕분에 가장 쉽게 생각나는 예일 뿐, 이런 곡은 최소한 수십 곡은 더 찾을 수 있다. 슈베르트의 **더 긴** 기악곡들은 슈만이 "천국의 길이"라고 불렀을 정도로 긴데, 질서 정연하게 하나의 악상에서 다음 악상으로 이어지지 않는다. 그 대신 이리저리 돌아가고, 배회하며, 한낮의 꿈속에 잠겨 있다. 그가 작곡한 두 곡의 피아노 삼중주에는 들을 때마다 책상 앞에 앉은 슈베르트가 관자놀이에 한쪽 팔을 대고 상상을 펼치느라 멍한 표정을 짓고 있는 모습이 떠오르는 대목이 있다.

꿈은 소망의 충족일 때가 많다. 연가곡집 〈겨울 나그네〉에 실린 「봄의 꿈」에서 꿈을 나타내는 구절은 목가적인 상황을 환기시킨다. 거기에는 완벽한 풍경과 완벽한 사랑이 있다. 하지만 이어지는 구절은 음산한 풍경과 씁쓸한 고독을 내보이면서 우리를 냉혹한 현실로 돌려놓는다. 슈베르트의 삶에서 대개 꿈은 일시적인 유예와 위안, 그리고 열망과 가능성을 품은 공간을 나타낸다.

하지만 말년에 이르자 그의 꿈은 악몽이 되었다.

슈베르트의 후기 양식은 연약함과는 거리가 멀다. 애정이나 배려를 표현하지 않으며, 조용히 흘러가지도 않는다. 슈베르트의 후기작이 지닌 가장 비범한 특징은 공포를 환기시킨다는 것이다. 원래 슈베르트는 서정적인 선율을 쓰는 재능이 워낙 뛰어났다. 사랑과 무관해 보이는 구절에조차 사랑을 불어넣을 수 있을 정도였다. 그래서 그의 음악에 흐르는 병적인 기운은 상대적으로 놓치기 쉽다. 오랫동안 작은 불꽃에 불과했던 이 기운은 슈베르트의 삶이 꺼져 가면서 맹렬한 불길로 타올랐다.

그런 사례로 노래 몇 곡을 들 수도 있을 것이다. 슈베르트가 말년에 작곡한 곡 중에는 오싹한 노래들이 많다. 예컨대 「도플갱어」는 생각만 해도 몸이 움찔한다. 하지만 나는 이번에는 손쉬운 길을 택하지 **않으려** 한다. 나는 슈베르트의 열병과도 같은 꿈 중에서도 가장 뜨거운 악몽인 피아노 소나타 20번 A장조 D959의 안단티노 악장을 곧장 살펴보려 한다.

소나타 20번은 충격적으로 짧은 삶(과장된 표현을 용서하시라. 서른한 살에 매독으로 죽은 것은 1828년 빈에서는 충격적인 뉴스가 아니었겠지만, 그는 그 짧은 생애에 1,000곡에 가까운 곡을 작곡했다. 그것만으로도 충격적이기에 충분하다)을 살았던 슈베르트가 생의 마지막 몇 달 동안 작곡한 세 곡의 소나타 가운데 중간에 해당한다. 이 소나타들은 보통 경탄의 대상으로 여겨지지만, 거기에는 거의 항상 단서가 붙어 있다. 너무 길고 너무 비슷한 선율이 반복된다는 것이다. 가끔은 비난의 뜻이 포함된 말들 ― '산만한', '정처 없이 오가는', '아무 데로나 전개되는' ― 도 추가된다. 사람들이 이 곡들을 불편하게 느끼는 이유는 곡의 내러티브가 계속해서 바뀌기 때문인 듯하다. 달리 말하자면 다음 순간이 어떻게 진행될지 미리 알려주는 단서가 전혀 없다는 뜻이다.

이 소나타의 2악장 안단티노의 중간 부분은 그중에서도 가장 예기치 않고 당혹스러운 순간이다. 악장의 개시부는 노래의 세계에 속한다. 슈베르트는 노래의 세계에 있을 때가 많다. 애절한 성격이지만 체념의 분위기이며 ― 주먹을 날리지 않으며 대부분은 꽉 쥐고 있지도 않다 ― 예측한 대로 전개되어 우리를 안심시킨다. 40마디 동안 보컬의 애가는 대단히 신중하게 움직이는 화성의 뒷받침을 받으며, 왼손의 리듬이 더없이 규칙적이다. 거의 모든 마디가 재빨리 크게 도약했다가 중력에 살짝 저항하듯 신중하게 하강하는 식으로 구성된다. 마지막 네 마디에서는 신중함이 정체된다. 즉 베이스라인은 움직임을 멈추고 선율도 마찬가지다. 잠에 빠져든다.

그러고는 곧바로 혼란이 덮친다. 삽시간에 아무것도 없던 것이 광폭하게 날뛰는 것으로 바뀐다. 개시부의 체념은 의식적으로 용감한 얼굴을 한 겉모습이었음이 드러난다. 이제 무의식 상태에서 겁에 질리고 겁을 주는 자아가 활개를 친다. 각각의 프레이즈는 예기치 못한 화성의 영역으로 우리를 데려간다. 프레이즈가 이어질수록 선율 라인이 음역에서 음역으로 걷잡을 수 없이 달린다. 처음에는 누군가가 어둠 속을 더듬는 것 같았는데, 이제는 사방이 치명적인 위험임을 깨닫고는 제자리에서 빙빙 도는 것 같다. 갈수록 방향을 잃고 발작 상태에 빠져들더니 끼익 하는 소리와 함께 멈춘다.

음악의 가장 위대한 경이에는 침묵의 힘도 있다. 때로는 잠깐 숨 돌릴 곳을 제공하지만, 침묵이 의문을 제기하거나 도전하거나 위협을 가할 때도 있다. 침묵에도 거의 음들만큼이나 폭넓은 표현의 어휘가 있다. 물론 침묵 양옆의 음이 없다면 아무것도 아니겠지만 말이다.

이 침묵은 순수한 공포다. 필사적으로 도망치려 하지만 탈출구가 없다는 것을 알고는 그 자리에 얼어붙은 사람의 공포다. 대부분의 사람들이 겪은 악몽을 죽음의 생각에 사로잡힌 천재가 이렇게 소리로 표현해낸 것이다.

이것은 온갖 종류의 감당할 수 없음이지만, **연약함**은 그 안에서 발견되지 않는다. 눈을 동그랗게 뜨게 되지만 싸울까 도망갈까 무서워서 그러는 것이지 베토벤의 32번 소나타에서처럼 경이감 때문이 아니다. 그렇다면 수십 년 동안 내가 이 대목에 **집착**해 온 것은 어떻게 설명할까? 다시 말하지만 내 삶이 아무리 위태롭게 느껴져도 나는 죽음을 두려워하지 않는다. 내가 서른한 살이 되던 날, 이제 슈베르트가 죽었을 때와 똑같은 나이가 되었다는 생각을 했다. 가곡을 하나도 작곡하지 못한 나 자신을 질책했고, 매독을 피한 나 자신을 축하했으며, 그런 다음 그래놀라를 먹었다. 하지만 소나타 20번의 악몽은 여전히 내 마음 깊은 곳을 건드린다.

왜 그런지 나는 이유를 알고 있을까? 당연히 모른다. 알았다면 지금과는 완전히 다른 사람이 되었을 것이다. 열을 덜 내고 더 균형 잡히고 침착한 사람, 음악에 대한 굶주림이 지금보다 덜한 사람이 되었을 것이다. 내가 아는 것은 혼란을 표현한 음악에 내가 가차 없이 끌린다는 것이다. 내 일부는 아마도 세상을 무질서하고 제멋대로이고 그래서 몹시도 위협적인 것으로 항상 경험할 것이다. 음악이 나를 위로하는 능력에는 항상 고마운 마음이지만, 내가 음악에서 가장 원하는 것, 가장 필요로 하는 것은 **나 대신 말하는 것**이다. 소리로 표현된 혼란은 두려움을 안겨주겠지만, 입마개를 씌워 속으로 경험되는 혼란은 **마비를 시킬** 수 있다. 슈베르트의 가장 참혹한 꿈을 듣고 사람들에게 전한다고 해서 내 불안이 반드시 줄어드는 것은 아니지만,

그것은 이제까지 제 목소리를 내지 못했던 내 영혼의 한 쪽 귀퉁이에 목소리를 부여했다.

저 몸서리치게 하는 침묵, 그것은 내 영혼의 것이 아니라 슈베르트 소나타 20번의 것이다. 정신 나간 비명소리에 이은 침묵으로 악장이 그냥 끝나는 것은 물론 아니다. 끼익 하는 소리 뒤로 연이은 여진餘震이 오래도록 이어진다. 슈베르트는 마침내 의식의 세계로 돌아오고 개시부의 음악이 돌아온다. 그러나 최악의 꿈들이 다 그렇듯이 꿈이 새로운 현실에 스며든다. 개시부의 노래가 돌아오지만 더 이상 체념의 상태가 아니다. 고통이 이제 몸으로 뚜렷하게 느껴진다. 깊이 억눌렸던 것이 이제 표면에 올라오고, 모든 것은 예전과 똑같지 않을 것이다.

위대한 음악 ─ 슈베르트의 음악도 당연히 포함하여 ─ 은 '시적'이라는 찬사를 자주 받는다. 과도하게 부정확하게 사용될 때가 많은 표현이지만, 시처럼 아름답게 넘어가는 프레이즈가 음악의 빛나는 순간임은 틀림없는 사실이다. 그러나 언어와 마찬가지로 음악도 우선은 스토리텔링의 수단이며 소나타 20번의 안단티노가 그토록 놀라운 것도 이런 점에서다. 불안을 느낄 만큼 명료하게 이성적인 것과 비이성적인 것 사이를 왔다 갔다 하는 이야기를 한다. 온전한 정신이 금방이라도 무너질 듯 허약하게 그려지는데 그 방식이 오싹하리만치 그럴듯하게 느껴진다.

하지만 이 소나타를 **연주**할 때 내 마음속에 가장 오래 도록 남는 것은 이 대목이 아니다. 안단티노를 연주하면서 나는 대재앙을 느끼지만 그런 뒤에는 어쨌든 회복한다. 내 면의 귀에 때로는 며칠이나 계속 들리는 것은 마지막 악 장의 주제이기 때문이다. 여기서, 이글거리는 격정과 임박 한 죽음이 순간적으로 풀어놓은 공포는 남김없이 사라졌 다. 그 대신에 슈베르트의 독보적인 서정적 재능이 남김없 이 복구되었다. 주제는 단순하지만 하늘로 날아오르는 단 순함, 활짝 만개한 단순함이다. 감사의 노래다.

앞에서 나는 슈베르트 후기작의 가장 두드러진 측면 은 노래가 아니라 공포라고 했다. 사실 기적과도 같은 것 은 이런 특징들이 아무렇지 않게 나란히 놓인다는 것이다. 이 마지막 악장의 음악은 한없이 따뜻하고 너그럽다. 강압 적인 구석은 조금도 느낄 수 없다. 이런 상황에서 이것이 과연 가능한 일일까? 슈베르트는 **잊은** 것일까?

이렇듯 내가 아는 슈베르트의 가장 과열된 음악에서 도 나를 사로잡는 것은 흥분으로 몰아치는 순간이 아니라 그다음에 오는 것이다. 싸움에서 이미 졌을 때, 절벽 너머 의 풍경이 이미 보이기 시작할 때, 연약함이 감당할 수 없 을 때의 순간이다. 슈베르트는 지옥을 보았지만 그것은 함께 나누려는, 사랑하려는 그의 의지를 다지게 할 뿐이다.

나는 그런 것이 어떻게 가능한지 모르겠다. 언젠가는 알게 될 수 있을까?

* * *

나는 알게 되리라는 희망을 놓지 않는다. 음악은 내게 많은 것을 의미하며 **스승** 역할도 한다. 음악은 내가 어떤 존재인지 표현하는 — 나에게는 명백히도 없는 — 기막힌 재주가 있는데, 가끔은 내가 어떤 존재가 될 수 있는지 보여주기도 한다.

5년 전에 「베토벤의 그림자」라는 글을 썼을 때, 나는 아무런 배경도 경험도 없이 글쓰기에 뛰어들었다. 그래서 내 주위의 최고의 독자-친구들을 찾아다니며 그때까지 준비된 원고를 보여주고 도움을 구했다. 내 친구들은 날카로운 만큼 입도 날카로워서 불편한 진실을 한 가득 내게 안겼다. 한시도 가만히 있지 못한다, 지나친 자만심은 버려야 한다, 문장에 세미콜론이 너무 많다는 등의 지적을 했다. 그처럼 가혹한 돌팔매질과 화살을 받으면 보통은 내 선택을 고집스럽게 옹호하고, 내 믿음이 꺾이고 나서도 5분은 더 내가 옳다고 우겼다. 그러고 나서야 독자와 내가 내린 더 나은 결정을 마지못해 받아들였다.

하지만 유난히 날카롭고 입도 날카로운 오십대 중반의 한 음악가가 던진 지적은 유독 내 아픈 곳을 찔러 지금도 생생히 기억난다. 이런저런 제안을 하더니 그녀는 잠시 말을 멈추어 극적 분위기를 연출했다. 이후에 하는 말을 강조하기 위한 멈춤이었다. "당신이 하는 말은 괜찮아요. 그런데 나는 당신이 왜 그렇게 스스로를 **설명해야** 한다고 느끼는지 이유를 모르겠어요."

이 말에 내가 어찌나 당황했는지 모른다. 다른 독자들과 의견을 주고받을 때는 미적 이유를 둘러대거나 내가 순전히 고집을 부려 내린 선택을 옹호했다. 이것은 달랐다. 완전히 잘못 짚은 지적이라는 생각이 속에서 울컥 치솟았다.

아무튼 그냥 넘어갈 수 없었다. 그래서 숨 돌릴 틈 없이, 엘리자베스 퀴블러 로스가 제안한 상실의 치유 모델을 조악하게 흉내 내어 독백을 늘어놓았다. 나는 자신을 설명하는 것이 아니에요, 내 글을 잘못 읽으셨군요. 맞아요, 나 자신을 설명하고 있어요. 그럴 **필요**가 있어요, 왜냐하면 음악가가 아닌 청중을 위해 글을 쓰니까요. 베토벤 소나타 전곡을 녹음하기에는 젊으니까요. 그리고 나 자신을 설명하는 것이 **아니라면** 대체 내가 왜 글을 쓸까요? 그게 아니라면 내 개인사를 주절주절 늘어놓는 것이 무슨 의미가 있겠어요? 잠깐만요, 내가 왜 자신을 설명하느냐고요?

탁월한 질문이었다. 나로 하여금 내 글을, 더 중요하게는 내가 세상과 관계를 맺는 방식을 새롭게 돌아보도록 하는 질문이었다. 나는 예술가들이 연주하기를 원하면서 동시에 숨으려고 하는 역설을 언급한 바 있다. 이와 관련되는 마찬가지로 독특한 역설이 여기 또 있다. 예술가들은 자신이 완전히 자신 없는 것에 대해 깊게 확신하는 경향이 있다.

여기에는 어쩔 수 없는 부분이 있다. 성공의 성패가 남들이 **좋아해주는** 것에 달려 있는, 전적으로 주관적인 분야에서는 줏대 있게 자신의 원칙을 밀고 나가려면 대단한 용기가 필요하다. 또 다른 요인으로 가치를 공유하는 공동체에 속하고 싶다는 욕망이 있다. 우리는 자신이 관심을 갖는 것에 남들도 관심을 갖기를 원하며, 관심의 깊이가 깊을수록 관심을 공유하려는 욕망도 강해진다. 누군가가 슈만의 후기작이나 바이올리니스트 요제프 시게티를 싫어한다는 말을 들으면 나는 그냥 섭섭하기만 한 것이 아니라 외롭고 배척당한 느낌이 든다.

하지만 그것이 전부가 아니다. 음악가가 된다는 것은 강도 높은 자기검토와, 새로운 표현 형식을 찾고 더 많은 공상과 정밀함을 갖추려는 계속적인 노력이 요구되는 일이다. 하나하나도 어려운 목표이지만 동시에 추구하는 것은 더더욱 어렵다. 이런 상황에서 스스로에 대해 확신을 갖기는 대단히 힘들어진다. 자신이 곡에 대해 무엇을 말하고 싶은지 철통같은 믿음이 없다면 연주해 나갈 수 없다. 그런 연주는 적어도 들을 만한 연주는 아닐 것이다. 그러나 그와 같은 믿음을 전하는 복잡한 문제는, 그리고 그러려면 자신의 영혼을 훤히 드러내야 한다는 사실은 몹시도 사람을 불안하게 하는 일이어서 자칫 모든 것에 의문을 제기하게 만들 수 있다. 이 모두가 확신과 의심이 뒤엉킨 복잡한 상황을 만든다. 그래서 나는 나 자신을 설명하려는 것이다.

빤한 이야기를 한다는 위험을 무릅쓰고 말하자면, 자신을 설명하려 애쓰는 것은 별로 도움이 되지 않는 행동이다. 자신의 믿음에 의문을 제기하는 것은 필요하고 건강한 일이지만 계속해서 동의를 구하는 것은 그렇지 않다. 예술적 추구에서는 특히나 위험한 일이다. 남의 시선을 의식하게 되고 그 시선은 창조성을 질식시킨다(창조성이야말로 남과는 무관한 자신만의 일이 아닌가!). 하지만 청중을 상대하는 일을 하면서 청중이 여러분을 어떻게 바라볼지 신경 쓰지 않기란 무척이나 어려운 일이다.

지금 이 순간에도 남을 의식하고 있는 나 자신이 보

인다. 그러한 시선들이 러시아 인형 마트료시카처럼 겹겹이 내 안에 들어앉아 있다. 글을 쓰는 지금 내 머릿속의 목소리가 계속해서 상상의 독자와 밀고 당기기를 하며, 어떻게 하면 더 좋은 판단을 받을 수 있을지 골몰하고 있다. 내가 너무 많이 드러내는 걸까? 아니면 아직 부족할까? 두 문단 앞의 저 문장이 오만하게 보일까? 정직하기만 하면 괜찮은 걸까? 오만하다고 **인정**해야 할까? 아니면 사과라도 할까? 사과는 정직하게 보일까? 과연 정직할까?

수많은 생각이 돌고 돈다. 내적 독백은 자체적인 기세가 있어서 거기에 말려들면 멈추기가 어렵다. 그리고 나는 이것이 해롭다는 것을 —내 창조성을 고갈시키고, 마사 그레이엄의 말처럼 "채널을 닫는다closing the channel"는 것을— 뼈저리게 인식하므로 그것을 멈출 방법이 없는지 계속해서 찾고 있다. 차분하게 나 자신을 설득하려고도 해봤고, 호되게 꾸짖기도 했고, 요가와 명상도 해봤다. 모두가 어느 정도는 성과가 있었다. 나는 여전히 음악 작업을 못 말리게 사랑하는데, 자기변호가 위험한 수준에 다다랐다면 그렇지 못했을 것이다.

그러나 내 이런 성향을 확인해준 사람이, 내가 쓴 글을 보여준 사람들 중에 가장 나이가 많은 —실제로 그렇지 않을지 몰라도— 사람이었다는 것은 우연이 아니라고 확신한다. 쉽게 굽히지 않는 상대방의 확신을 믿는 것, 정보를 잘 추려서 유효하고 쓸 만한 것은 취하고 나머지는 무시할 줄 아는 것, 결점도 재능도 모두 한 사람의 일부임을 받아들이는 것, 이런 것은 다 연륜에서 나온다. 여기에는 지름길이 없다. 살아가면서 면밀히 주목하고 최선을 기대하는 수밖에 없다.

이것은 안전한 경로로 그 길을 간 많은 음악가들이 내게 해준 말이기도 하다. 내 곁에는 거의 평생 동안 나이 많은 음악적 멘토와 협업자들이 있었는데, 나는 그들의 말뿐만 아니라 그들의 작업도 보고 배우려고 노력했다. 하지만 명료한 생각과 명료한 목적의식을 갖고 나 자신을 받아들이는 과정에서 가장 훌륭한 길잡이는, 음악가들이 아니라 늘 그랬듯 음악 그 자체였다.

'후기 양식'이라는 주제는 워낙 다양해서, 많은 이들이 글쓰기를 시도하긴 했지만 막상 쓰려면 여간 까다롭지 않다. 슈베르트는 마지막 곡들을 작곡했을 때 서른한 살이었고 육체적으로 망가진 상태였다. 슈만의 마지막 작품은 사십대에 나왔는데, 당시 그는 몸은 건강했지만 심리적으로 급락하고 있었다. 엘리엇 카터는 103세에 죽었는데, 아마도 자신이 마지막 시기에 접어들었다는 것도 의식하지 못했을 것이다. 하늘을 뒤흔드는 베토벤의 소나타 32번은 순진무구함과 절망의 공포를 뒤섞은 슈베르트의 20번과 거의 관계가 없고, 슈베르트의 곡은 브람스 말년의 작품들에 나타나는 엄격한 금욕주의나 질식할 듯한 사랑의 표현과 무관하다. 그러나 이 모두를 한데 묶을 수 있는 것이 있다. 아무래도 상관없다는 고집스러움이 그것이다. 그들은 너무 멀리 나아갔고 너무 많은 것을 보아서 더는 입증할 것이 남아 있지 않았다. 이런 음악을 차분하다고 할 수는 없겠지만, 이런 특징은 차분한 자기확신에서 나온다. 운명을 받아들인 것은 아니겠지만, 자아를 순순히 받아들였음을 반영한다.

그리고 가장 중요한 사실이 있다. 그들은 청중에게 무관심하지는 않았겠지만 청중의 **승인**에는 무관심했다는 사실이다. 이런 구분은 베토벤에게서 가장 극적으로 드러난다. 비록 그는 동시대 사람들이 거의 알기 어려운 어법으로 곡을 썼지만, 소나타 32번뿐 아니라 그의 모든 후기 작에서 연결의 갈망이 보인다. 이미 거장의 풍모가 보이는 초기 소나타에서 우리는 음악을 저울질하는 청자를 저울질하는 베토벤의 모습을 떠올릴 수 있다. 그는 무엇이 황홀함을 안겨주고 무엇이 놀라움을 줄지 정확하게 알았다. 마지막 소나타에 이르면 그는 그저 자신이 말할 필요가 있는 것을 말할 뿐이다.

말할 필요가 있는 것만 말하는 예술의 절정은 아마도 모차르트의 마지막 피아노 협주곡인 27번 KV 595일 것이다. 모차르트의 피아노 협주곡들은 역사상 가장 눈부신 음악에 속한다. 그리고 그 눈부심은 밀도 높은 음들이 아니라 흘러넘치는 악상으로 인한 것이다. 음악은 결코 분주하지 않지만, 자주 섬세하게 얽힌 아름다움을 자랑하며 일반적으로 변화무쌍하다. 가사 없이도, 〈피가로의 결혼〉이나 〈돈 조반니〉에 나오는 수많은 다양한 인물들의 복합적인 감정을 환기시킨다. '균형감equipoise'이 그를 위해 만들어진 말이 아닐까 싶을 만큼 모차르트 음악은 흠잡을 데 없는 균형미가 돋보인다. 이 협주곡들은 편안한 마음으로 들어도 아름답다는 생각이 절로 든다. 집중해서 잘 들어보면 각각의 협주곡이 기발함과 통찰력, 반전의 재미로 빛나는 귀중한 보물로 다가온다.

그런데 모차르트 피아노 협주곡 27번은 이런 특징들을 보란 듯이 비껴간다. 다른 협주곡들만큼이나 깊이 있게 느껴지면서도 간결하기 그지없다. 평범함을 벗어나려는 의도가 전혀 없어 보인다. 천국과도 같은Elysian 개시부 주제가 등장하기에 앞서 조용하게 고동치는 B플랫장조 한 마디가 나온다. 이 마디에서 무슨 일이 벌어지는지 묻는다면 가장 온당한 대답은 '아무것도 없다'는 것이다. 선율도, 리듬의 변주도, B플랫장조 화음을 제외하고는 화성도 없다.

하지만 가장 참된 대답은 '모든 것'이 벌어진다는 것이다. 신비한 연금술에 의해 몇 초에 불과한 이 부분이 협주곡의 나머지를 예고한다. 주제가 미처 등장하기도 전에 물질적인 세계는 표류하고, 시간은 유예되고, 축복의 상태가 성취된다.

모차르트 피아노 협주곡 27번을 연주한다는 것은 나에게 그 어떤 것과도 다른 경험을 선사한다. 이 글에서 다룬 음악들을 연주할 때면 지금보다 나은 음악가와 피아니스트가 되어야 한다는 압박을 느낀다. 이 음악들은 한꺼번에 여러 차원에서 작동하며, 요구 사항이 지나치게 많다. 그래서 나는 항상 더 명료한 정신을, 더 넓은 소리의 팔레트를, 내 요구에 더 효율적으로 응해줄 손과 팔을 갖고 싶다는 생각을 한다.

하지만 피아노 협주곡 27번을 연주할 때는 더 나은 **사람**이 되어야 한다고 느낀다. 이 협주곡을 작곡했을 때 불과 서른다섯 살이었던 모차르트는 앞으로 살날이 얼마 남지 않았다는 것을 몰랐을 터이고, 끔찍한 몇 년을 보내고 난 뒤였기 때문에 어쩌면 음악가로서의 자신의 미래를 낙관했을 수도 있다. 그러나 이 곡에서 나는 모차르트만의 통찰력과 솜씨, 아름다움뿐만 아니라 평화를 듣는다. 이 작품에는 깊은 후회의 순간들 — 관계가 먼 G플랫장조로 진행하는 악절은 내가 아는 가장 순수한 노스탤지어의 표현으로, 결코 일어나지 않았을 수도 있는 무언가를 추억한다 — 이 있지만 분노의 기미가 전혀 없다. 고통을 소통하지만 거기에 대해 불만을 전혀 내비치지 않는다. 이 세상에서 후회스러운 모든 것으로부터 벗어나 휴식을 취할 수 있는 오아시스다. 여기에는 한 음도 거짓이 없다.

이 협주곡을 연주할 때 나는 평소처럼 상상의 청중과 춤을 추는 나 자신을 종종 발견하곤 한다. 내가 이 주제를 지나치게 강조하는 걸까? 신경을 안 쓰는 걸까? 음악의 차분함을 제대로 포착하고 있을까? 단조롭게 들릴까? 아니면 최면을 거는 것처럼 들릴까?…….

하지만 마침내 이런 춤은 잦아든다. 모차르트 피아노 협주곡 27번을 연주하는 것은 더 나은 듣기 방법을, 자기 자신과 세상을, 요컨대 더 나은 존재 방법을 접하게 되는 것이다. 유감스럽게도 음악은 대체로 도덕과 무관하다. 역사를 돌아보면 음악을 너무도 사랑했던 더없이 혐오스러운 사람들의 예를 얼마든지 볼 수 있다. 나도 이 협주곡 연주를 마치고 나면 내가 연주하기 전과 똑같이 신경증에 시달리는 존재임을 깨닫는다. 하지만 그 사이의 30분 동안 나는 대안적인 현실을, 또 다른 버전의 나를 경험한다.

얼버무리는 것을, 사과하는 것을 멈추고 내 모습 그대로 존재하는 것이 어떤 것인지를 배운다. 모차르트 협주곡의 마법에 홀려 갑자기 이런 일들이 가능해 보인다.

* * *

이 글을 쓰려고 준비하면서 내가 가장 먼저 — 이 글의 주제를 마련해준 모차르트, 베토벤, 슈베르트, 브람스의 이름보다도 먼저 — 떠올린 것은 단순한 질문이었다. 음악은 어째서 어떤 사람들에게는 그토록 소중한데 어떤 사람들에게는 거의 아무것도 아닐까? 내가 모차르트의 마지막 피아노 협주곡을 경험했다는 데에 그 답이 있다. 누군가에게 음악은 가능성이다.

일단은 음악을 얼마나 접하느냐가 중요하다. 내가 태어나면서부터 말 그대로 음악에 둘러싸이지 않았다면 음악과 나의 관계가 어땠을지 모르겠다. 찰스 아이브스가 마칭밴드의 소리를 들으며 자랐듯이 우리 집도 집 안 곳곳에서 바이올린 연습 소리가 들릴 때가 많았다. 그러나 지금은 성격도 무시 못 할 요소라고 확신한다. 음악을 사랑한다는 것 — 음악이 가능성을 확장한다고 느끼는 것 — 은 **내적으로** 살아가는 사람이라는 뜻이다. 그를 가장 깊이 위로하는 것은 다른 사람들이 아니라 자신의 내면에서 벌어지는 상상이다.

이것이 내 삶이고 내가 이런 후기 음악들에 그토록 강력하게 끌리는 이유다. 슈베르트의 의식의 흐름, 브람스의 사랑과 죽음의 독백은 초월적으로 강렬한 내면의 삶의 결실이다. 그리고 말년에 이르러 누구보다 불가해한 세계를 구축한 베토벤이 귀가 완전히 멀었을 때 마지막 소나타들을 작곡했다는 것은 우연이 아니다. 상황이 좋을 때도 고집스럽고 편협했던 베토벤이 청력을 잃고 나서 자신의 상상 속으로 퇴각한 것은 선택이라기보다 어쩔 수 없는 일이었다. 인간적인 차원에서 보자면 이것은 재앙이었지만, 바깥세상으로부터 격리됨으로써 그의 내면세계는 엄청나게 풍요로워졌다. 청력 상실로 인해 기존의 언어로부터 단절된 사람이 아니라면 누가 혼자서 **새로운** 언어를 만들어낼 수 있겠는가? 발자국 소리와 심장 박동 소리로부터 단절된 사람이 아니라면 누가 자신의 의지에 따라 시간을 마음대로 늘리고 줄일 수 있겠는가?

이것이 베토벤 이래로 음악에 빠져 정신을 못 차리는 우리의 모습이다. 우리는 자신의 상상 속으로 퇴각하여 영원히 공간과 **시간**에서 살짝 비켜나 있다.

음악이 공간과 시간을 갖고 노는 것을 보면 그렇게 매혹적일 수가 없다. 삶에서는 공간 감각과 시간 감각이 왜곡되면 우리를 소외시킨다. 음악가들은 여기저기 돌아다니며 생활하므로 모든 곳이 집처럼 편안하고 아울러 어디서도 편안함을 느끼지 못한다. 언젠가 나는 한밤중에 깨어나 내가 어디에 있는지 알아차릴 수 없었다. 1분이 꼬박 지나서야 내가 집에 있고 여기가 내 침대라는 것을 깨달았다. 그런데 음악가의 왜곡된 시간 감각은 한층 더 위태롭다. 강박적으로 음악에 일편단심 매달리다 보면 어른 같은 아이, 그런 다음에는 아이 같은 어른이 된다. 이제까지 36년을 살아오면서 나는 지금도 실제 나이를 느끼지 못한다. 이렇게 바깥세상과 단절되면 상상의 세상이 한층 더 유혹적으로 보인다.

내 삶에서 진정한 성장기의 경험은 위대한 피아니스트 레온 플라이셔의 학생으로 보낸 시간이었다. 4년 동안 그의 스튜디오에서 배웠지만 그는 첫 수업 때와 다름없이 위압감을 주는 존재였다. 그의 한없이 올곧은 모습을 보노라면 첫 음을 연주하기도 전에 훈계를 받은 것 같은 기분이 들었다. 그는 말을 할 때 시적이면서 동시에 냉철함을 담을 줄 알았다. 이반 대제의 어투로 예이츠의 시를 읊는 듯했다.

플라이셔에게서 배운 시간이 끝났을 때, 내 눈에 그는 언제든지 지혜로운 말을 툭툭 던지는 사람으로 보였다.

그가 내게 해준 모든 말이 깨달음을 주는 것이었다는 확신이 들었다. 어쩌면 많은 말들이 그랬을 것이다. 그러나 10년이 흘러 내가 학생들을 가르치기 시작했을 때 나는 흥미로운 점을 발견했다. 학생들을 받는다는 도전과 책임감에 문득 짓눌린 나는 플라이셔와 함께했던 수업을 하나하나 되짚어 보았다. 염치없게도 내가 활용할 수 있는 자료가 무궁무진하게 있으리라 생각했던 것이다.

그러나 수업의 전체적인 **분위기**는 충격적이게도 생생하게 기억났지만, 플라이셔가 내게 했던 특정한 말들은 내 양손에 의지해서만 기억할 수 있었다. 기억은 이런 식으로 작동한다. 세부적인 사항들이 따로 놓고 보았을 때는 두드러지더라도, 그것들은 점차 쌓이면서 엉겨 붙기 시작한다. 시간이 흐르면서 그 4년의 세월은 내 마음속에서 연속적인 별개의 사건들에서 그저 내 삶의 한 장章으로 바뀌었고, 개개의 특정 사실들은 망각 속으로 사라졌다.

하지만 그중에서도 내가 레이저빔처럼 선명하게 기억하는 한 순간이 있다. 마지막 해에 나는 플라이셔를 위해 쇼팽의 〈환상 폴로네즈〉를 연주했다. 〈환상 폴로네즈〉는 이렇게 표현해도 된다면, 후기작에 속한다. 쇼팽은 앞서 매끄럽게 이어지는 벨칸토 양식을 선호했는데, 여기서는 그런 습성을 버리고 한없이 더 흥미로운 양식을 취했다. 이리저리 휘돌고 전혀 선형적이지 않은 내러티브다. 폴로네즈와 환상곡, 개방성과 은밀함, 희열과 절망 사이를 오가며, 가끔은 순간 속에 모든 것을 담기도 한다. 이 곡은 슈베르트의 후기작처럼 내적 독백을 소리로 옮겨놓은 것처럼 들릴 때가 많다.

플라이셔는 이 곡을 무척이나 좋아했고, 이 곡은 내가 전에 보지 못했던, 그리고 다시는 보지 못한 그의 살짝 흐트러진 모습을 끌어냈다. 수업 도중에 그는 다른 피아노 앞에 앉아 한 악절의 시범을 보였다. 그것만으로도 드문 일이었는데, 금세 그가 나를 위해서가 아니라 자신을 위해서 연주하고 있다는 것이 명백해졌다. 그가 작품과 소통하는 양상이 너무도 강렬하고 너무도 개인적이어서 나는 몰래 엿듣는 기분이 들었다. 살짝 당혹스럽고 더없이 매혹적이었다.

90초가량 지났을 때 플라이셔는 아마도 40년 동안 그 곡을 한 번도 연주해보지 않았는지 실수를 했다. 그는 주문에서 깨어나 정신을 차리고 수업을 재개했다. 그러나 순간의 분위기는 계속해서 사라지지 않았다. 내가 s자 곡선으로 휘도는 곡을 연주하는 동안 그의 가르침은 평소보다 더 조용하고 덜 사나웠다.

이제 이 곡에서 가장 잊을 수 없는 순간이 가까워졌

다. 비극적 모티프가 등장하는 방식이 이 모티프를 한층 비극적으로 만든다. 쇼팽이 〈환상 폴로네즈〉에서 처음으로 자신의 서정적인 재능을 마음껏 펼쳐 보인 칸타빌레 주제가 클라이맥스에 도달하는 것 같더니 이내 힘을 잃는다. 힘차게 위로 올라가야 하는 선율 라인이 두서없이 헤매기 시작한다. 화성의 움직임이 기이하고 산만해진다. 주제는 활짝 펼쳐지는 것이 아니라 해결되지 않은 채로 표류하다가 그냥 사라진다.

플라이셔는 한참 동안 말없이 주제가 전개되는 것을 듣기만 했다. 내가 마지막 화음을 울리고 소리의 흔적이 하나도 남지 않게 되었을 때 그가 다시 말했다.

"이제 **무한한** 외로움을 담아."

무한한 외로움이라.

인간으로 살아간다는 것은 홀로된다는 것이다. 음악가로 살아간다는 것은 홀로됨을 아는 것이다. 말년에 이르러 여러 위대한 음악가들이 그런 외로움 속으로 파고들어, 그 외로움을 우리에게 전하고 선물하려고 애써왔다. 그것은 나의 고독을 위로하는 동시에 왠지 고독을 장려하는 것 같은 선물이다. 좋든 싫든 내게는 그것이 더없이 소중한 선물이다.

옮긴이의 말

처음 이 책을 소개받았을 때부터 내게 특별한 책이 되리라는 것을 알았다. 이것은 모두를 위한 책이 아니라 은밀한 독자를 위한 책이다. 여러분이 고전음악을 좋아한다면, 음악을 직접 한다면, 특히 피아노를 치는 사람이라면, 나도 이런 책을 쓰고 싶었다고 말할지도 모르겠다.

얼핏 보면 그리 특별할 게 없다. 거의 3년 전에 번역을 의뢰받았을 때도 음악 하는 사람이 쓴 책은 어렵지 않게 볼 수 있었다(특히 피아니스트가 책을 내는 것은 유행과도 같았다). 책이 다루는 대상은 베토벤, 모차르트, 슈만, 슈베르트, 브람스의 피아노 음악으로 고전 중의 고전이다. 게다가 책을 쓴 저자는 지명도가 높은 음악가도 아니고(오래전에 내한공연을 한 적이 있다지만 조녀선 비스의 이름을 기억한다면 상당한 고전음악 애호가임이 분명하다), 지금까지의 커리어보다 앞으로의 커리어가 훨씬 더 길게 남은 젊은 음악가다.

'젊은 피아니스트가 고전 중의 고전에 대해 무슨 대단한 이야기를 하겠어'라고 생각한다면, 바로 여기에 이 책의 매력이 있다. 누구나 자신만의 방식으로 음악을 듣지만 자신이 듣는 방식이 과연 제대로 듣는 것인지 의문을 품을 때가 있다. 그럴 때 직업적으로 음악을 하는 사람의 이야기는 힘이 된다. 음악에 정답은 없지만 음악가의 생각은 권위 있는 목소리가 되고 기준이 되고 참고가 된다.

조너선 비스는 고독하게 내밀하게 철저하게 음악에 파고든다. 예술가의 책이라는 것이 원래 그렇다고 말할 수도 있겠지만, 이렇게까지 솔직하게 자신의 생각을, 내면을 드러내 보이는 책은 드물다. 어찌 보면 위험하다고 말할 수도 있다. 음악을 통해 청중과 만나는 사람이 특정 음악의 특정 대목에서 음악의 힘 앞에 속절없이 무너졌음을 털어놓으면, 그의 연주를 듣는 데 걸림돌이 되지 않을까. 그에게 어떤 각별한 의미가 있는지 알게 되면 그런 관점에서만 연주를 기대하고 듣게 되지 않을까.

그도 이런 위험을 모르지 않는다. 그래서 세 번째 에세이 마지막 부분, 일종의 에필로그에서 자신의 속내를

'한층 더' 솔직하게 (살짝 횡설수설하며) 털어놓는다. 자신이 왜 이렇게 글을 쓰는지, 왜 이렇게 스스로를 설명하는지, 예술가들이 어떤 존재인지에 대해. 마지막 에세이에서 계속 언급되는 필립 로스의 구절을 빌려 말하자면, 그는 자신의 연약함을 감당할 수 없었던 듯하다.

그가 들려주는 음악 이야기도 좋지만(나는 모차르트와 베토벤의 차이를, 브람스 말년의 양식의 핵심을 이토록 설득력 있게 짚어내는 사람을 알지 못한다), 이렇게 그가 자신의 속내를 드러낼 때면 나는 깜짝깜짝 놀란다. 밑줄을 쳐가며 읽을 구절이 곳곳에 있지만 개인적으로 가장 반가웠던 구절은 바로 이것이다. "음악은 어째서 어떤 사람들에게는 그토록 소중한데 어떤 사람들에게는 거의 아무것도 아닐까?" 처음 이 문장을 읽고는 소름이 돋았다. 내가 한동안 고민했던 문제이기 때문이다.

음악은 내 삶에서 큰 비중을 차지하는 부분이어서 음악 없는 삶을 상상하기 어렵지만, 또 어떤 사람은 음악 없이도 아무렇지 않게 잘 살아간다. 왜 나는 (다른 사람과 다르게) 음악을 삶의 한 부분으로 받아들이게 되었을까? 가족 중에 나 말고 음악을 좋아하는 사람이 없는 걸 보면 이것은 성격의 문제에 가까워 보인다. 음악의 취향은 단순히 내가 무엇을 좋아하고 말고의 문제가 아니라 내가 어

떤 부류의 사람인지, 혹은 어떤 부류의 사람이 되고 싶은
지 말해주는 것 같다. 어떤 음악의 어떤 대목에 강하게 교
감하는지 보면 그 사람의 성향이 드러난다.

그의 글 덕분에 간만에 내가 좋아하는 음악을 왜 좋
아하는지 생각해보게 되었다. 자신이 좋아하는 음악가가
무시당하면 어째서 자신의 존재가 무시된 듯한 기분이 드
는지 알 것 같다. 아울러 내가 왜 슈만을 존경이 아니라 애
증으로 대했는지도 알 것 같다. 음악은 자신의 감추고 싶
은 성향을 드러내는, 자신이 겪고 싶지 않은 것을 대신 겪
게 해주는 기회가 된다.

하얗고 검은 어둠 속에서

초판 1쇄 펴냄   2021년 6월 10일
초판 2쇄 펴냄   2021년 7월 7일

지은이   조녀선 비스
옮긴이   장호연

펴낸곳   풍월당
편집   조민영
디자인   성윤정
주소   [06018] 서울시 강남구 도산대로 53길 39, 4층
전화   02-512-1466
팩스   02-540-2208
홈페이지   www.pungwoldang.kr
출판등록   2017년 2월 28일, 제2017-000089호

ISBN 979-11-89346-23-2 03670